Geetanjali Shree

Maï, une femme effacée

Traduit du hindi (Inde)
par **Annie Montaut**

des femmes
Antoinette Fouque

Titre original : *Mai*
© Geetanjali Shree, 2000

© 2023, *des femmes*-Antoinette Fouque pour la traduction française
33-35 rue Jacob, 75006 Paris
www.desfemmes.fr

Tous droits réservés pour tout pays.

ISBN : 978-2-7210-1321-7
EAN : 9782721013217

PRÉFACE

Maï, une femme effacée raconte l'histoire d'une mère vue par sa fille dans l'enfermement d'une grande maison traditionnelle indienne. La mère, Maï, y est, en tant que belle-fille, la servante de ses beaux-parents, de son mari, de ses enfants, n'ayant d'existence que pour les autres ; cette annihilation s'exprime dans le *pardah*, le voile, symbole de sa soumission et de son abnégation. C'est ce *pardah* que hait d'emblée la narratrice Sounaina, avec son frère cadet. Enfant, puis jeune fille et jeune femme, elle refuse de se faire effacer comme sa mère l'a été, par le carcan de la tradition. Roman de l'enfance, roman des grandes ambitions de la jeunesse, *Maï* est aussi un roman d'apprentissage, avec les départs pour la ville puis pour l'étranger, comme si la « vraie » vie consistait à s'affirmer en sortant du milieu clos que représente l'enceinte de la maison familiale, dominée par le formidable et autoritaire Grand-père. La découverte du monde extérieur et de la modernité est aussi la révolte des deux jeunes gens contre le monde confiné de la femme cloîtrée, victime muette à sauver. Mais la victime est trop consentante pour être sauvée. Et peu à peu, avec le refus de changer silencieux mais opiniâtre de la mère, le *pardah* découvre à Sounaina son intériorité, une vie et une

3

force extraordinaires. Le silence se révèle plus éloquent que toutes les protestations articulées. La faiblesse, quand elle va jusqu'à l'infini, se transforme en force.

Si on peut lire le livre comme un témoignage sur la condition féminine en milieu aisé et provincial indien, ou sur la pénétration de la modernité dans les campagnes, on peut aussi le lire comme une méditation sur le temps, la parole et le silence, la conscience rationnelle et la conscience d'avant l'individualisme « moderne ». Le dialogue avec la mère est aussi un dialogue, bien au-delà des mots, entre ces deux mentalités.

Note technique

Les termes indiens ont été transcrits au plus près de la prononciation française : Soubodh et non Subodh, *tchapati* et non *chapati* ou *câpâtî*, les poètes Sour Das et Toulsidas (usuellement orthographiés avec u), la fête de Diwali et non Diwalee. Une exception a été faite pour les termes intégrés dans les connaissances communes sous leur orthographe romanisée à l'anglaise (Krishna, Shiv, Abdul Khan), ainsi que pour les termes sanskrits associés à des rites ou à des fêtes (Tij, Ganesh Chaturthi), dont la francisation de l'orthographe aurait par trop choqué les spécialistes.

Le cursus scolaire, qui va en Inde de la première à la dixième suivie de deux années pour aboutir à l'équivalent du baccalauréat, a été également adapté au système français, de la onzième à la terminale, mais le terme anglais de *college*, usité pour le début des études supérieures, a été conservé. Par contre, les termes relatifs à la cuisine, et il en est beaucoup question dans le roman, ont été conservés (sans la marque du pluriel français) et expliqués dans le glossaire, lorsqu'ils n'étaient pas explicitement décrits dans le texte.

Enfin, j'ai pris le parti de conserver le style de Geetanjali Shree, dans ses ruptures, ses suspens et ses effets d'oralité comme dans sa littérarité. J'ai simplement traduit le dialecte bhojpuri de la grand-mère par un français d'« autrefois » un peu plus familier, souhaitant éviter les connotations des effets patoisants en français.

Annie Montaut

Pour Annie Montaut et Charles Malamoud,
mon lien le plus intime à la France

1

Nous savions depuis le début que Maman avait une faiblesse dans la colonne vertébrale.

C'est ce que le docteur confirma par la suite.

Ceux qui passent leur vie à se courber ont ce problème. À cause de ce continuel mouvement pour se pencher, les vertèbres s'affaissent et une pression s'exerce sur les nerfs à un endroit ou un autre. Celui qui a toujours courbé l'échine souffre à rester comme ça courbé, et souffre aussi à se redresser.

Maman était toujours courbée en deux. On le sait bien, nous qui l'avons vue depuis toujours, depuis le commencement. Notre commencement, c'est son commencement aussi. Déjà c'était une ombre silencieuse, une ombre penchée, vaquant d'un endroit à l'autre pour subvenir aux besoins de tous.

Et à cette époque, des besoins, il y en avait. C'est bien plus tard que les gens se firent rares à la maison. Alors, la maison était pleine de monde, il y avait la famille, les visiteurs, les serviteurs, les ouvriers. Au milieu desquels Maman évoluait, nouant et dénouant tous les fils.

C'est toute notre enfance. C'était une très grande maison que la nôtre. Et nous, ma foi, nous croyions que tout le monde vivait dans des maisons comme ça. Où les singes s'en donnaient à cœur joie sur l'immense toit en terrasse et où les enfants regardaient le monde par les lucarnes. Où les paons criaient dans le petit matin et venaient faire leur danse jusque dans la cour intérieure. Les enfants ramassaient leurs plumes dans les champs, sur le toit. Quantité et quantité de plumes, qu'on contemplait en songeant à tout ce qu'on pourrait en faire. Toute la journée il venait des gens, il partait des gens, on allait les voir, ou on se cachait. Et le soir, la lueur des lampes à pétrole.

C'est plus tard que l'électricité arriva. La pompe à eau aussi, que nous récupérâmes pour nos jeux. Mais avant, il y avait des seaux en fer et en cuivre, que maman ou Hardeyi remplissaient d'eau à la pompe pour notre usage à nous, à Grand-mère et à Père. Il y avait une grande cuve en bronze que Bhondou remplissait tous les jours au puits pour Grand-père.

En fait, les cabinets de Grand-père, sa salle de bains, tout était à part. Dehors, devant son bureau-salon. Dans un abri arrondi – impossible de me souvenir s'il y avait un mur en dur ou si on avait juste monté un vague cloisonnement – avec une sorte de siège percé sans dossier, il gardait son *lota**, et une bassine en bronze. Remplie d'eau à ras bord. De l'eau, de l'eau : si Grand-père en avait eu moins pour ses ablutions, sans doute aurait-il cessé de se laver ! À côté du « trône », un pot de chambre en bois, que le *bhangui** venait vidanger tous les jours.

Un jour, nous y étions entrés, sans faire exprès, dans la fièvre du jeu. Grand-père était assis en lotus. Il venait de se verser de l'eau sur la tête et il y avait encore des gouttes sur son cordon sacré. Il ne s'émut pas le moins du monde,

---

* Les termes suivis d'un astérisque sont expliqués dans un glossaire à la fin de l'ouvrage.

simplement, il nous lança d'une voix cassante : « Filez ! », et nous décampâmes, pleins d'appréhension.

Pour le reste de la famille, les cabinets étaient à l'intérieur. Là où Grand-mère était installée, dans la véranda, qui ouvrait sur la cour intérieure. Dans la cour, il y avait d'un côté le cagibi des toilettes, de l'autre la cuisine et le cagibi aux réserves de bois et de charbon. La pompe aussi avait été installée dans la cour intérieure. L'hiver, Hardeyi faisait près de la pompe un feu de bois pour chauffer l'eau de la toilette dans de grandes bassines, et je revois encore Maman prendre ces bassines avec le bord de son sari pour en verser l'eau dans les seaux.

Par la suite, Père fit abattre le mur de sa chambre et construire une nouvelle salle de bains avec des WC où il y avait la chasse d'eau, l'eau courante au robinet, la douche, le chauffe-eau, tout, et même des seaux et des récipients en plastique de couleur.

Mais tout cela, c'était venu bien plus tard. Plus tard, bien des choses changèrent, bien que Grand-mère ait continué jusqu'à ses derniers jours à faire sa toilette dans la cour – fil têtu des habitudes jamais rompu – mais à part ça tant de choses changèrent dans la maison.

La difficulté, c'est que, pour en parler, il faut être après, et qu'on garde toujours désespérément la certitude que cet après n'est que souvenir, et que le souvenir est un reflet captif, pris dans le cadre de l'imaginaire, qui ne se réduit pas à la pure vérité et surtout n'est pas la chose dans sa totalité. On n'a pas seulement peur de ne pas pouvoir dire la chose en totalité, une partie demeurant en suspens, on a aussi cette autre peur, qu'à la saisir ou la toucher, la chose ne perde vie. Dès l'instant qu'on y touche, la voilà qui change de forme sous la pression de notre main, qui se transforme en ce qu'on lui imprime de solide. C'est cette forme-là, solide, qui appartiendra ensuite à l'histoire indélébile. Or on ne veut pas oblitérer la vérité du non-dit en réduisant tous les possibles.

Mais la pire difficulté, c'est encore de n'avoir de cesse que tout soit dit. On s'enlise sur place, et ce n'est qu'en parlant qu'on pourra bouger.

Je veux dire « Maï », Maman, mais le chemin qui mène de « Maman » à « dire » est si ardu d'une certaine façon, tellement truffé d'obstacles, qu'on ne peut prévoir ni ce qui arrivera ni où on arrivera.

Cela me fait penser à un château fort inaccessible, où on voudrait pénétrer pour retrouver la trace de Maman. Portes dérobées, grottes, labyrinthe, il est piégé de tous les côtés, de toutes sortes d'illusions, ce château fort ! On voit une lumière, et on y va d'un pas assuré, mais c'est là qu'on découvre qu'on est dans le vide, en chute libre, criant d'effroi ; on finit par pénétrer dans un tunnel par une porte secrète, avançant en faisant bien attention, en se baissant, on va bien trouver quelque chose à l'autre bout, à la sortie, et alors on s'aperçoit qu'on a tourné en rond et qu'on est revenu au point de départ ; on progresse, on va de l'avant avec confiance, quand tout à coup un ennemi planqué dans les hauteurs, embusqué, nous bombarde d'huile bouillante par une meurtrière.

Comment parvenir jusqu'à Maman ? Comment la trouver, et comment la ramener à nous ? Et si même d'une manière ou d'une autre on arrive à récupérer quelques bribes et à les ramener à nous, est-ce que ce sera vraiment Maman ? Puissent la mémoire, l'âge, le savoir, ne pas cribler son ombre de leurs flèches. Elle est quelque part, Maman, quelque part où elle est tout entière, surtout ne l'atrophions pas en la saisissant et en la ligotant dans les mots.

Pourquoi j'éprouve si fort le besoin de ressusciter Maman, je n'en sais rien. Mais c'est une sensation qui m'envahit de partout, dedans dehors, que j'inhale dans mes poumons, je la respire, elle m'emplit, elle me suffoque, et il faut que je l'exhale pour la sortir de moi avec mon souffle. Maman, si faible depuis toujours, je n'en reviens pas qu'elle m'emplisse comme cela.

Après.

Mais après, c'est bien plus tard.

Le commencement – après, en fait, le commencement même a dérapé – est dans le temps d'avant l'après. À cette époque, nous étions tout petits, Grand-mère était très vieille, Père était très souvent sorti, Grand-père était très coléreux, et Maman était très craintive. C'étaient les personnages de notre enfance, qui évoluaient ensemble ou séparément, notre enfance tout imbue de sa légèreté et de sa plénitude comme un ballon dans le ciel.

Il y avait alors des champs autour de la maison, partout, et un verger de manguiers et de goyaviers, et nous ne connaissions que de loin les ouvriers qui y travaillaient. Aujourd'hui, j'ai les nouvelles par le journal du matin, au moins, s'il y a des émeutes dans le bazar local. À l'époque, les nouvelles des ouvriers n'arrivaient que jusqu'à Grand-père, Père lui-même n'osant pas s'adresser directement à Grand-père, c'est dire à quel point nous deux, les petits, nous étions hors circuit.

Ce qui ne veut pas dire que nous restions sagement dans notre coin. Les vieilles maisons, les espaces ouverts sont en soi lieu de liberté, où s'ébattre et batifoler. On pouvait être sur le toit à inventer des histoires en cachette, on pouvait être au puits à regarder les bœufs tourner en rond pour faire marcher la noria qui irriguait les champs. Si nous n'avions jamais été très forts pour grimper aux arbres, par contre nous savions très bien tirer à nous les branches chargées de goyaves mûres. Dans les champs aussi nous trouvions toujours quelque chose à glaner, petits pois à grignoter, feuilles de pois chiche à mâchouiller, épis de blé vert à picorer. Il y avait tout l'espace voulu pour échapper à Grand-père.

On avait de toute façon peu affaire à lui, tant il était jusqu'aux derniers temps lui-même pris par ses réunions privées ; il passait sa journée dans son bureau-salon qui donnait sur l'extérieur, c'est là qu'on lui portait ses repas, c'est là qu'il dormait, là qu'il recevait ses hôtes tous les jours. Sa voix aux résonances puissantes n'en portait pas moins dans toute la maison – on entendait son rire tonitruant, les histoires qu'il racontait, on l'entendait héler les domestiques, on l'entendait chanter de concert avec Faiyaz Khan et Abdul Karim Khan :

J'ai frappé Krishna avec des bouquets de fleurs
Ô ma mie, ma très chère

Et nous, entendant ça, nous sursautions, du plus loin que nous étions, sur le toit ou au jardin, nous riions, nous nous précipitions voir ce qui se passait à l'intérieur.

Grand-père se passait des soixante-dix-huit tours, sur son vieux tourne-disque à cornet, et il continua jusqu'à son dernier jour. Il n'avait guère de contacts avec le reste de la maisonnée à part : « Hé ! Il y a une visite, fais apporter du sirop » (par la suite : « Il y a une visite, fais apporter du thé », thé dont il ne buvait pas lui-même)… « Mets un peu à frire des fleurs de potiron » « Hé ! Il y a quelqu'un ? Vous m'entendez ? Voilà des douceurs qu'on vient d'apporter du village, fais envoyer des *namkine** pour aller avec ». C'était sa manière à lui, de dire toujours « fais faire » au lieu de « fais ».

Ses intimations n'obéissaient à aucun horaire précis, mais leur cible favorite était Maman, toujours là pour exécuter toutes ses demandes avec zèle. À supposer qu'il soit « dehors » et Maman « dedans », le pont entre les deux, c'étaient Bhondou et Hardeyi. Mari et femme, mais le monde de Bhondou était au-delà de la frontière, « dehors », alors que l'univers d'Hardeyi était en deçà de la ligne de démarcation, « dedans ». C'est là, sur cette frontière, que se faisait entre eux l'échange d'objets, de messages, et même d'engueulades.

À part eux deux – et à l'exception de nous deux – il n'y avait que Père à aller et venir à son gré de dedans à dehors, de dehors à dedans. Auprès de Maman et de Grand-mère dedans, puis auprès de Grand-père au salon, c'est-à-dire dehors. Sa passion pour la musique le poussait vers le territoire de Grand-père, mais il avait un véritable blocage de la parole – ne proférant quasi que des monosyllabes comme « oui », « bien », « certes ».

Grand-père était craint de tous. Même Grand-mère, nous ne l'avions jamais vue près de Grand-père, presque jamais, à se demander comment ils pouvaient être mari et femme. Grand-mère – dont nous étions particulièrement proches –, c'était comme si Grand-père n'existait pas pour elle, tout en n'étant pas vraiment inexistant. Sans doute n'était-ce qu'en l'absence de Grand-père qu'elle pouvait avoir la langue si bien pendue et si acérée, et on ne voit pas pourquoi elle aurait souhaité la présence d'un ralentisseur. Elle trônait donc fastueusement, toute la journée, sur un grand drap blanc déployé sur le divan de la véranda de « dedans », appuyée sur un gros coussin bleu, usé par les lavages. Avec vue directe sur la cour, la cuisine, centres de l'activité domestique. Comme toutes les portes des chambres donnaient sur la véranda, on la voyait dresser l'oreille au moindre bruit, l'œil aux aguets. Grand-mère, à peine sortie de son bain, s'ébrouait de toute sa chevelure blanche, chaussait ses lunettes et embrayait la conversation, exhibant le mouvement de sa langue, d'une incroyable vélocité, dans sa bouche édentée, tournant la tête en tous sens, le regard alerte, comme pour contrôler le moindre recoin.

Nous n'avions pas d'interdit de territoire en ces temps anciens, libres que nous étions d'aller et venir dedans comme dehors, mais rien ne nous attirait vers le salon de Grand-père. Ce dernier nous interpellait lui-même d'une voix de stentor quand il nous voyait galoper, « Hého Soubodh ! Hého Sounaina ! », nous installait sur ses genoux, nous prenait dans ses bras et nous serrait à nous briser les os comme un boa constrictor. Ou bien il nous donnait des pichenettes en nous disant « *Alabala garam masala* », ou « *akkar bakkar bambe bo* », ou avançait simplement sa main vers nous, « vas-y, fais-moi craquer les doigts », nous poussions des cris, aïe aïe aïe, en nous tortillant, mais quand il nous lâchait nous filions avec le sentiment que, même si nous n'avions pris aucun plaisir à ce corps-à-corps, ce n'était quand même pas rien que d'avoir passé par les griffes d'un aussi formidable personnage.

Mais le plus souvent, le fait est que nous avions plutôt affaire aux femmes qu'aux hommes. Pas plus Grand-père que Père ou qui que ce soit d'autre. Dedans, nous nous ébattions dans les cajoleries de Grand-mère, tournions autour de Maman, et dehors nous profitions de notre liberté. Par la suite, si nous restâmes les préférés de Grand-mère, notre préférée à nous fut de plus en plus Maman. Adorée au point que nous en sommes arrivés à mettre toute notre énergie à la sauver et à la tirer de là.

Dès l'enfance nous avions été traumatisés par son abnégation. Peu à peu nous nous sommes mis en devoir de la protéger de tous, de Grand-mère, de Père, de Grand-père. La seule personne dont nous ne sommes pas parvenus à la protéger, c'était elle-même. Sa colonne vertébrale avait déclaré forfait, même le docteur déclara forfait. Qu'à présent il n'y avait rien à faire contre la douleur. Depuis le début, on savait, pour son dos. « Mais ça, c'est plus tard. »

2

C'était comme ça avec elle, elle était toujours courbée. Et parlait peu.

Quand nous nous éveillions, elle était dans la cuisine, déjà lavée et vêtue d'un dhoti* propre, et faisait cuire les *paratha**. Fourrées de petits pois, de pois chiches, de lentilles. De pommes de terre, de choux-fleurs, de navets. Ce n'était pas un petit déjeuner que prenaient Grand-père et Grand-mère, c'était un vrai repas, carrément. Et les plats qu'on préparait pour eux faisaient aussi notre panier-repas pour l'école, notre *tifine*. Mais Père prenait un petit déjeuner léger, les cinq grains – blé, cacahuète, pois chiche, lentille *moung*, lentille *massour* –, non broyés, trempés et germés, tous les jours, une poignée, le tout assaisonné de citron et de sel, par les soins de Maman. Et un grand verre de babeurre.

Le babeurre frais était préparé à la maison, dans le temps. Dans un grand pot en terre, baratté avec la baratte en bois ; et c'était Maman qui barattait. Assise sur un petit tabouret dans la cour, la baratte coincée entre ses talons, *tchal tchal tchal tchal*, le lait et la crème se battaient en duel puis le beurre apparaissait à la surface, et on versait le babeurre dans de grands verres.

Cela étant, tout ce que faisait Maman, Hardeyi le faisait aussi. Il n'y avait pas de démarcation claire entre ce qui était strictement du ressort de Maman et ce qui incombait à Hardeyi. Parfois c'était Maman qui barattait et parfois Hardeyi, parfois Maman qui préparait le dal* et le chutney et parfois Hardeyi, parfois Maman qui mettait les bûches et allumait le feu, et parfois Hardeyi. Mais il y avait des plats spéciaux que seule Maman préparait, de même que le ménage incombait à la seule Hardeyi. Après le ménage, Hardeyi n'allait guère à l'intérieur et restait cantonnée à la cour et à la véranda, à vaquer avec Maman.

La vérité, c'est que Grand-père n'appréciait pas du tout que les domestiques rentrent dans la maison. Outre les vols et menus larcins, si on leur lâchait la bride, ils risquaient de répliquer aux maîtres. Sans parler de la crasse et des maladies. Il était aussi très soucieux de ne pas ébruiter à l'extérieur ce qui se passait à la maison, le linge sale devant se laver strictement en famille. Voilà pourquoi, en dépit de l'armada de domestiques, du porteur d'eau et du vidangeur au jardinier et au gardien de nuit, qui circulaient dans notre enceinte autour du puits, seuls Hardeyi et Bhondou pouvaient entrer à l'intérieur de la maison, et encore leurs allées et venues étaient-elles sévèrement réglementées. Bhondou avait la charge de la véranda et du salon de Grand-père à l'extérieur, et négociait avec Hardeyi par la porte de derrière. S'il entrait chez Grand-père, il ôtait ses sandales et se couvrait la tête. Il portait les cheveux très courts, presque ras, pour satisfaire aux standards de propreté de son maître. Quant à Hardeyi, elle était la bonne à tout faire, à l'intérieur.

Avec Maman.

Qui faisait tout ce qu'elle avait à faire courbée en deux – laver la lessive, broyer les condiments, étendre la pâte au rouleau, cuire les *tchapati**.

La spécialité de notre maison, c'était la kyrielle ininterrompue de tâches en lien avec les repas. Grand-père et Grand-mère ne voulaient que des plats chauds, préparés du jour. Père, avec son estomac fragile, ne tolérait d'être servi que par Maman, se méfiant des mains douteuses de Hardeyi. Et il y avait en plus nous deux – les petits caprices de l'enfance, chacun ses goûts et ses manies.

Maman se mit donc à préparer divers menus pour tous les goûts. Depuis quand, je ne saurais dire. Le menu *pakka**, toujours le même, pour Grand-père et Grand-mère – *pouri**, *paratha* (Grand-mère préférait les *pouri* parce qu'il lui fallait des repas légers et que les *pouri* flottaient dans la poêle, légères comme des fleurs qui flottaient sur l'huile de friture !), légumes frits, crème, ou *khir** purifié par quelques gouttes de beurre clarifié. Pour nous et pour Père, dal et curry, galettes soufflées, riz, légumes, salade. Pour tous, *papad**, chutney, *raïta**, *atchar**. Et de temps en temps, sans raison particulière, pour un invité ou à l'occasion d'un orage de mousson, ou à la demande de Grand-père ou de Grand-mère, des beignets de légumes frits, des crêpes, des gâteaux de céréales, du halva, toutes sortes de gâteries qui se déversaient par pleins plateaux débordants. Père était très difficile pour la nourriture – s'il lui arrivait de goûter aux *pouri* « légères » ou aux crêpes avec plaisir, son régime ordinaire consistait en babeurre, miel et graines germées. Des plats nouveaux, anglais, firent plus tard leur apparition dans les menus, à cause de nous, dont quelques-uns étaient au goût de Père et tous au goût de Grand-mère – soupe, pâtés de légumes frits, sandwichs, crèmes glacées, gâteaux, biscuits, chocolat.

C'est dire la diversité des préparations culinaires chez nous. Notre cuisine hébergeait toute la gamme des cuisines du monde, du village voisin à Londres. C'est ainsi nourris que nous avons grandi, et cela, ce n'est pas une chose qu'on puisse oublier facilement. Il y a aussi bien le cake anglais que la mélasse locale dans notre sang ! Nous les hybrides, étranges animaux au pelage ocellé, plantes d'espèce non répertoriée, bizarres tant qu'on voudra, mais c'était nous et bien nous.

Il y a eu beaucoup, beaucoup d'ombres protectrices pour se pencher sur nous. Celle de Maman surtout, juste au-dessus de nos têtes. Et c'est de son ombre à elle, justement, que nous étions le moins conscients.

À quelle heure se levait Maman, qu'est-ce qu'elle mangeait, comment elle vivait, au début nous n'y pensions même pas. Et par la suite quand nous avons commencé à y penser, nous l'adorions et nous avions pitié d'elle. On mit un terme à nos petits caprices gourmands, « aujourd'hui, Maman, on a envie de *bati** », ou « fais-nous des *litti** », ou « ça fait longtemps qu'on n'a pas mangé de *goulgoula** ». Nous allâmes jusqu'à nous interposer contre les exigences des autres et de leurs menus. Soubodh allait la tirer de sa cuisine : « Bon, maintenant ça suffit, tu as assez cuisiné… sors de là, tout de suite, viens… c'est moi qui m'en occupe. » Nous essayions de lui donner un coup de main pour tout. Et c'en fut fini de nos pratiques d'avant, elle à travailler, et nous avec Grand-mère à papoter. « Non, on t'attend… Quand est-ce que tu vas venir !… Laisse-le refroidir, tant pis. » Et comme j'étais élève dans la section scientifique, je me mis, en prime, à donner des leçons à Grand-mère et à Père, forte de mes savoirs : « On a un corps qui a tels et tels besoins, il ne faut pas manger des choses frites, il faut arrêter les sucreries, c'est la source des maladies digestives, des problèmes dentaires. » Pas question bien entendu de parler à Grand-père, il me fallut de longues années avant d'en être capable.

Grand-père et Grand-mère étaient alors à l'apogée de leur règne, l'un trônant dehors, dans son salon, royal, l'autre trônant dans la véranda, dedans, princière. À l'époque de Grand-père, on nous apportait des panières de *laddou** et de confiseries : du village, *laddou* au sucre brut, *laddou* au sésame, au fenugrec, *laddou* au millet, et de chez le confiseur, melons confits rouges et *barfi**. C'est plus tard qu'on prit l'habitude d'acheter des fruits au marché, à notre demande. Dans l'ancien temps le jardin suffisait, avec les goyaves, les papayes, les bananes, les *jamoun**, les baies, les pommes-cannelles, qu'on picorait tous au passage, en se promenant – nous, les domestiques, les oiseaux. Ces fruits n'étaient pas comptabilisés parmi les bonnes choses.

Mais il était un fruit qui régnait en maître à la saison – la mangue. C'était alors à la maison une délicieuse avalanche de *langra, dashahri, tchaussa* et de *deshi*, petites mangues juteuses à sucer.

Grand-père n'avait rien contre les mangues. Mais c'est des confiseries qu'il raffolait. Il avait une dent en moins, à cause de ce régime exclusivement de friture et de sucreries – il ne l'avait d'ailleurs perdue qu'entre ses soixante-dix et ses quatre-vingts ans –, et il n'allait jamais faire de la marche. « Regarde mes dents, vois comment je digère, et garde tes leçons de diététique et ta science pour toi », me rétorqua-t-il un jour.

Une fois, Grand-père partit en promenade avec sept ou huit vieillards de ses amis. L'un avait des problèmes intestinaux, un autre avait mal au dos, un autre des digestions difficiles, un autre souffrait des articulations, un autre avait des insomnies – tous avaient renoncé au plaisir de vivre. Grand-père les interrogea tous à tour de rôle : « Cher monsieur, depuis quand êtes-vous adepte de la promenade matinale ? » L'un répondit : « Depuis vingt ans », l'autre : « Ça fait dix ans », le troisième s'occupait de sa santé depuis cinq ans. Alors notre Grand-père leur bailla congé : « Dorénavant ne comptez plus sur moi au rendez-vous matinal, continuez votre marche hygiénique, grand bien vous fasse. » Et désormais la marche de Grand-père se limita au trajet de son salon à la véranda et de la véranda au salon.

Grand-mère était des plus gourmandes. C'est dans cette passion commune à coup sûr qu'ils se retrouvaient et s'unissaient, si tant est qu'ils fussent unis. Il lui fallait des nourritures riches, pimentées, brûlantes. Elle n'avait plus de dents, certes, mais cela ne l'empêchait pas de manger, réduisant les aliments en bouillie avant de les ingurgiter.

Quand, sur la base des nouveaux principes diététiques élémentaires que nous avions appris, nous demandâmes à Maman de nous servir du blé concassé bouilli et non frit, Grand-mère se lança dans une violente imprécation : « C'est ça, fais-leur manger du blé cru ! Comme s'ils allaient perdre la santé si tu le fais revenir ! »

Maman avait eu beau dire qu'il n'était pas cru et que les enfants ne voulaient pas de friture au beurre clarifié, Grand-mère n'allait évidemment pas s'en tenir là et se taire : « Beau prétexte pour tirer ta flemme, feignante. »

Nous avions grandi, et n'allions pas laisser passer ça : « Grand-mère, ça se mange comme ça, sans faire frire au beurre, dans tous les pays occidentaux. »

Elle explosa : « C'est ça, des Anglais, voilà ce qu'ils sont, voilà ce qu'on fait de vous. Plus on est pingre sur la cuisine et plus ça va leur donner la peau blanche à ces gosses ! »

Soubodh n'y tint plus : « Pourquoi vous êtes toujours à harceler Maman ? À lui donner des leçons ? Dites-nous ça à nous en face, c'est nous qui avons demandé le porridge comme ça. »

Grand mère en eut les yeux qui lui sortaient de la tête : « Voyez-moi ça, c'est bien les façons des Anglais, aucun respect pour personne… »

Soubodh alors, en rage : « Parce que vous tous, vous respectez Maman peut-être ?

— Ça alors, fulminait Grand-mère, c'est ça, il faudrait que je lui lave les pieds et que j'en boive l'eau comme un dévot pour son gourou. »

Maman, affolée, intervenait alors pour nous faire taire : « Taisez-vous, chut, chut, assez… Tais-toi Souni.

— C'est ça ta leçon, cria Soubodh, s'emportant contre elle également, se tenir tranquille, tout supporter, comme toi ! »

Il perdait patience, de plus en plus cela devenait une habitude chez lui de s'enflammer.

Nous ne voulions pas nous taire, être comme Maman. La tête toujours baissée, les yeux rivés au sol, obéissant docilement aux autres, toujours au service des autres, selon leur bon plaisir.

Et pourtant c'était bien la seule vertu de Maman qui trouvait grâce aux yeux de Grand-mère. Maman avait au moins cette qualité, qui faisait pardonner toutes ses tares – Grand-mère le reconnaissait, de la journée entière on n'entendait jamais la voix de la belle-fille, et si même elle allait au Club, c'était toujours le pan de son sari ramené sur la tête, bien voilée ; tout le monde le lui disait : « Mata-ji*, c'est un effet de votre grande vertu d'avoir trouvé une belle-fille aussi modeste et bien élevée, qui ne lève jamais les yeux. »

Et Grand-mère de m'expliquer : « Petite, ça c'est vraiment le *pardah*, le vrai. »

Et la puissance de cette volonté grand-maternelle était telle que Maman restait en *pardah*, voilée, du matin au soir.

Puis c'était le soir, les ombres des arbres s'allongeaient, nous rentrions fatigués d'avoir tant gambadé et joué, et nous trouvions Maman, qui nous attendait avec de grands verres de jus de tomates fraîches. Elle nous faisait laver les mains et le visage, nous frictionnait après le bain d'un mélange de glycérine et d'eau de rose, nous nourrissait ainsi que toute la famille, et venait avec nous dans notre chambre.

Notre chambre, la nôtre et la sienne.

Alors dans cette chambre, notre chambre – car Maman ne restait guère dans la chambre de Père, elle n'y allait que la nuit, on le savait parce qu'on détestait ça, on avait peur pour elle, on l'appelait à grands cris, on la réclamait à nos côtés – elle retirait lentement son « véritable *pardah* ».

Aujourd'hui encore quand je me souviens de nos rires à tous les trois, il me semble qu'on était trois camarades de jeu du même âge dans cette chambre. Elle n'en contrôlait pas moins nos devoirs de classe pendant toute une époque, bien que Père eût dit un jour au Club à quelqu'un qu'il était inutile de lui poser des questions, qu'il fallait s'adresser à quelqu'un d'instruit. Quand nous avions demandé des explications à Maman, elle nous avait dit qu'elle avait fait tout le secondaire et réussi l'examen final. Mais nous n'avions aucune gêne, aucune réserve entre nous, nous étions tout le temps en train de rire aux éclats.

Dans le lit, elle nous racontait des histoires et des blagues. L'histoire du *sahab** qui dit : « Pourquoi tu n'as pas arrosé, jardinier », et le jardinier répond : « Maître, il pleut », alors il se fait attraper : « Tu aurais dû prendre un parapluie et arroser. » L'histoire du chauffeur qui arrête la voiture et le maître lui demande ce qui se passe, le chauffeur répond : « Seigneur, il y a un fossé devant nous », et alors l'ordre tombe : « Tu n'as qu'à klaxonner. »

Les grands messieurs des histoires de Maman étaient toujours des imbéciles. Et dans les histoires plus longues qu'elle nous racontait, le pauvre faible innocent qu'on prenait pour un imbécile triomphait finalement.

Qu'il y ait dans la faiblesse de l'innocent le potentiel de la victoire, nous l'admettions volontiers, mais sans y penser plus que cela.

3

Non que nous fussions à l'époque incapables de penser, mais la pensée de penser, elle, vint plus tard. Avant, donc, quantité de pensées contradictoires cohabitaient en nous et nous acceptions la situation avec bonheur comme si elle allait de soi ! Ce n'étaient pas des pensées inquiètes, chargées de questions et de tension, elles ne cherchaient à extraire l'une de l'autre aucune essence, aucune vérité. Nous avions bien repéré que Père n'avait qu'à lever les yeux un quart de seconde pour que Maman se recroqueville dans l'angle de la porte, jusqu'à s'effacer littéralement dans le mur, plus docile qu'un agneau, et c'est pour sauver cette « malheureuse » que nous, nous avions décidé de faire front. Ce n'est qu'après qu'on la vit braver les regards menaçants dont on nous foudroyait, que ce soit Père ou Grand-père, si tranquille que tout le monde battait en retraite ; et nous, enhardis, sans hésiter une seconde, nous filions nous réfugier dans la douce protection du pan de son sari.

Quand nous en vînmes à penser à la pensée, l'aiguillon des questions ne nous laissa plus de paix – qu'est-ce qu'être impuissant, qui est impuissant, qui sauve qui... ! Et chaque réponse faisait surgir le scorpion d'une nouvelle question, scorpion au venin si pervers qu'on n'en guérissait ni n'en mourait ; qu'on restait là à se tordre de douleur, rien d'autre à faire, avec la tête qui tournait, d'angoisse. Maman... Maman... Maman... !

Grand-mère allait répétant que Maman n'avait qu'une vertu : elle respectait le *pardah*, le voile. Et nous, à voir ce voile qu'elle portait, on fondait en larmes. Qu'il arrive ce qu'il arriverait, je ne respecterais pas la coutume, je ne porterais pas le voile, jamais de la vie. Grand-mère nous lançait avec amertume : « Ah, quelle époque ! *Pardah* aujourd'hui, c'est juste le nom de ce qu'on accroche aux portes et aux fenêtres. »

Mais nous, c'est autre chose qui nous étonnait. C'est que, derrière les rideaux accrochés aux fenêtres, on savait qu'il y avait une pièce bien rangée, il y avait un foyer... où palpite la vie, chaque personne irradiant chaque objet. Il nous arrivait même, à la vue d'un rideau qui bougeait dans un endroit inconnu, de griller de curiosité – qu'est-ce qui se cache derrière ? Nous n'aurions jamais imaginé qu'un rideau puisse flotter dans le vide, rien derrière et rien devant. Qu'il puisse comme ça s'emmêler au silence palpitant !

Quand on voyait le *pardah* de Maman, on ne se posait même pas la question de ce qu'il y avait derrière.

Le voile, symbole des bonnes manières de Maman et de son effacement. Elle obéissait à tout le monde, ombre impeccable, au service de tout le monde.

Y compris de Grand-mère, qui parlait comme si la beauté, les manières, la sagesse, et même la tendresse maternelle, s'étaient arrêtées avec sa génération, et avaient aujourd'hui définitivement disparu.

Grand-mère ne supportait d'être mouchée par personne. Le seul qu'elle avait bien été obligée de tolérer n'avait plus guère de rapports avec elle. Le teint clair, les yeux ourlés de khôl, elle resta jusqu'à son dernier jour incroyablement coquette. Elle dénigrait toujours Maman, la montrant du doigt : « Déjà toute décatie à son âge ! Qu'est-ce que ça va être quand elle aura mon âge ! Elle aura le teint encore plus foncé, même aujourd'hui je suis plus claire qu'elle ! » Et elle faisait de grands gestes de la main pour bien la désigner. « C'est à cause d'elle que Sounaina la pauvre petiote est née noiraude, sinon, regardez-moi notre petit prince, il tient de moi, il est comme un Anglais notre petit garçon. »

Incroyable, vraiment, que Grand-mère ne traitât jamais Soubodh de noiraud, et un jour où, gamine, je me plaignais de cette injustice, elle me rétorqua d'un ton sans réplique bien à elle, avalant ses mots dans sa bouche édentée : « Hé… Hé… C'est que lui il est toujours dehors, au grand soleil, c'est pour ça qu'il a foncé. N'importe. Un garçon c'est un garçon, mon petit garçon en sucre au beurre clarifié… Hé… Hé… »

Et elle me prenait la main : « Oh là là ! Comment ça se fait que tu aies les veines qui se voient à ton âge ? Mes mains, moi, maintenant, elles sont toutes flétries, mais avant, d'une finesse, d'une douceur ! On ne pouvait pas les toucher sans vouloir encore et encore les toucher. »

Alors elle nous racontait que dans sa jeunesse, un ami anglais de Grand-père lui avait dit : « Ta madame a des mains et des pieds si parfaits, que tu le prennes bien ou que tu le prennes mal, je m'en vais lui serrer la main un jour. » Et quand le premier-né arriva – Grand-mère eut onze enfants, dont deux seulement survécurent, Père et Tante – l'Anglais vint féliciter Grand-mère et en profita pour s'emparer de sa main, si douce, si douce qu'il la serra, ma foi, un long instant !

Je me souviens que Grand-mère avait de la grâce, même âgée. Quand elle parlait, debout, elle se déhanchait légèrement, joignant les mains derrière la tête, ondulant des épaules, laissant tomber sa tête de côté avec une œillade suggestive !

Par ailleurs, elle avait toujours été vieille, Grand-mère. Quand elle parlait de sa jeunesse, elle devait parler d'une vie antérieure ! Mais du temps où elle pouvait marcher normalement, elle était un peu moins vieille, et après qu'elle se fut mise à boiter, elle était plus vieille.

Un jour qu'elle était assise, elle voulut se lever et tomba lourdement. Sa jambe s'était ankylosée mais elle avait déjà pris son élan pour se mettre en marche : elle fit une telle chute que l'os de la hanche se fractura et fut réduit en miettes. Chez les gens âgés, les os sont secs comme du petit bois.

Elle se répandit en hurlements, pleura à chaudes larmes, Grand-mère ; mais pour une fois Grand-père mit de côté toute sa haine des médecins et envoya Père à l'hôpital, lui imposant de véritables navettes entre l'hôpital et la maison – d'ici à là-bas, puis de là-bas à ici – tant il était anxieux ; il tournait comme un lion en cage.

L'affaire prit des proportions telles qu'elle finit par aller jusqu'à Lucknow. Le préparateur de la pharmacie aida Père à soulever Grand-mère pour l'installer dans la voiture d'une connaissance qui la conduisit à la gare, puis directement dans la salle d'opération de l'hôpital le plus réputé de Lucknow.

Nous aussi étions du voyage. Première visite à la grande ville, premier voyage en train. On était au plus chaud de l'été et Grand-mère remontait furieusement le drap sur ses jambes, cherchant à en envelopper la moindre petite partie de son corps comme si c'était un joyau précieux, une perle fine qui aurait risqué de rouler à terre. Un chirurgien formé en Angleterre procéda à l'extraction des débris d'os et ajusta dans le corps de Grand-mère la meilleure prothèse commandée à l'étranger. C'est depuis cette époque qu'elle s'était mise à claudiquer.

La plupart du temps, elle restait dans la véranda, appuyée sur son gros coussin bleu. C'est là qu'elle dormait : dans les longues soirées d'hiver, on tirait de lourds rideaux de toile, et dans les après-midi d'été on installait des stores de bambou. Bien couverte des pieds à la tête. Nous nous retrouvions tous là, pour bavarder avec elle. À l'exception de Grand-père, qu'elle ne voyait jamais.

Maman venait aussi, mais pas pour bavarder. Elle venait soit demander un renseignement, soit vaquer à quelque tâche, soit prendre la clef, soit lui masser les pieds, ou lui faire un massage à l'huile. Exécutant tous les ordres de Grand-mère.

Grand-mère était une véritable gourmande, et en matière alimentaire elle n'était ni dans la rigueur ni dans la tradition ! Elle se faisait préparer des *katchauri** par Maman : « Fais comme ci… Fais comme ça… Mets la farce comme ça. » Dès le matin, elle faisait prévenir Hardeyi par Bhondou : « Fais venir des *djalebi** bien chaudes et des samosas* ». Il y en avait pour nous aussi. Et le soir, elle l'envoyait chercher du *tchat**.

Quant aux nourritures qui furent mises en circulation avec notre arrivée, Grand-mère en raffolait également. Elle trempait son pain dans le lait condensé pour le ramollir et engloutissait le tout.

Nous, nous avions troqué une cuisine pour l'autre, nous n'avions besoin que d'un plat pour notre repas, par exemple du ragoût, mais elle, c'était tout différent – elle maintint fermement la cuisine traditionnelle, à laquelle elle ajouta la cuisine moderne ! La première était pour se nourrir et apaiser sa faim, la seconde pour satisfaire à la pure gourmandise. Le sel de la vie, c'est la diversité ! Nous qui nous étions mis en tête d'alléger la tâche pour Maman, en fait, l'opération aboutit à la doubler. Maman passait son temps à préparer un plat ou un autre, et grâce à Grand-mère, tout était inondé de beurre clarifié : les plats où il en fallait comme le halva, et ceux où il n'y en avait aucun besoin, comme les pois chiches et les lentilles soufflées.

Qu'elle digère bien ou non, Grand-mère n'avait aucun interdit alimentaire. Le médecin l'avait mise en garde cent fois mais Grand-mère resta fidèle à elle-même. Certes, elle se mit bien à jouer le jeu pour la forme en public, se servant une petite portion de légumes au chutney et un minuscule bout de pain tout en protestant : « Vous voyez, hein, on ne peut pas dire que je n'écoute pas le docteur. On va bien voir si ça me sauve la vie. »

Et si Maman, qui faisait le service, lui offrait une deuxième portion : « Un peu plus ? », Grand-mère se récriait, la voix tremblante dans sa bouche édentée, sur un ton de parfaite innocence : « Comment ça un peu plus ! Toutes les nourritures me sont interdites. Je suis condamnée à rester au repos sans rien manger et sans rien boire, maintenant. Me voilà comme une mangue mûre, on ne sait pas quand elle va tomber. »

Puis elle se propulsait sans bruit jusqu'à la cuisine, claudiquant, où elle s'offrait de la crème avec du sucre, ou des noix qu'elle avait broyées.

Le comble était que, même installée à part en train de manger, elle se lançait dans des doléances interminables pour peu qu'elle fût en humeur de s'apitoyer sur son sort : « Regardez-moi ça, j'ai à peine mangé une demi-bouchée mais il y a ce satané docteur qui me pourrit la vie sans s'en faire, il ne faut pas manger ci, il ne faut pas manger ça, il faut manger moins. Vous voyez, je mange moins, dites-moi un peu si ça fait un miracle. »

Du coup, nous cessâmes d'exprimer des désirs particuliers pour nous faire partisans d'une nourriture saine mais moins spectaculaire. Grand-mère ne put jamais comprendre cette initiative, et ne l'apprécia jamais non plus. « Rien d'autre que de la fainéantise de la part de votre mère », disait-elle tout le temps. Elle ne se lassait pas d'expliquer en long et en large comment elle, elle avait servi sans relâche sa belle-mère. Sa belle-mère qui n'avait plus une dent et disait : « Aïe ma fille, je sais bien que ce n'est pas possible, mais avec la saison des pluies qui arrive, je me damnerais pour quelques grains de maïs. »

Et Grand-mère de répondre : « Vous allez en avoir, Amma, vous mangerez du maïs. »

Elle était allée elle-même choisir dans le champ les épis les plus tendres, qu'elle avait fait revenir légèrement, avait extrait de ses mains les grains qu'elle avait écrasés avec dévotion, avant d'y mélanger quelques épices, et elle l'avait donné à manger à sa belle-mère.

Qui lui avait sorti tout émue : « Oui, c'est bien vrai, ma fille, finalement tu as réussi à me donner du maïs à manger. »

« Oh, moi, quand j'ai décidé de faire quelque chose, je pourrais faire n'importe quoi, je pourrais parfaitement apprendre l'"anguelais" », telle était la devise de Grand-mère.

Mais elle ne se décidait pas souvent à faire quelque chose ! Même quand Maman avait ses migraines, elle ne mettait pas la main à la pâte. Par la suite, je me mis, moi, à aider un peu, Soubodh aussi essayait d'aider. Mais Grand-mère ! Grand-mère restait fidèle à elle-même, belle, bavarde, gourmande.

Celle qui travaillait, c'était Maman, celle qui lançait des piques, Grand-mère. Et plutôt de façon indirecte qu'ouvertement.

« Ah bon ! si c'est ça qu'on appelle du *khir* par les temps qui courent… »

Nous, on s'exclamait : « Maman, ton *khir* est un régal ! »

Et elle enchaînait : « Ça oui, il est bon, à sa façon il est tout à fait bon. Le lait est bon, le riz est bon, à manger séparément ça a bon goût. De mon temps on faisait épaissir plus. Dans le *khir* on ne pouvait pas distinguer le riz et le lait, c'était devenu une seule chose. Mais ça prenait du temps, pour ça oui, du temps perdu, ça demandait beaucoup de lait aussi, du gaspillage, et il fallait se brûler la figure des heures à tourner au-dessus du feu… C'est ça que je faisais pour ma belle-mère, du *khir* à l'ancienne. »

Soubodh de répliquer : « Pourtant Grand-mère, votre belle-mère est morte jeune. »

Mais cela n'empêchait pas Grand-mère de lancer ses piques, particulièrement acerbes en présence de Père.

« Le petit a mangé du *rabri** à s'en lécher les doigts, c'est comme ça qu'il est devenu grand. Essayez voir de manger de ça vous autres. Autant se contenter de se lécher les doigts. »

Ou encore : « Regardez-moi ce miracle ! À faire cuire les courgettes comme ça, pour ainsi dire crues, on garde toutes les vitamines, c'est tout bénéfice. »

C'était nous qui avions protesté un jour, arguant qu'à trop chauffer les aliments on diminuait leur « valeur nutritive ». Maintenant c'était à Maman de s'expliquer, si elle avait quelque chose à dire, la moindre chose, ce qu'elle se garda bien de faire. Comme d'appeler Bhondou pour le tancer d'avoir ramassé des courgettes trop grosses, découvertes le matin même complètement cachées sous la treille qui grimpait sur la terrasse.

Grand-mère avait l'art de lancer ses piques avec une telle subtilité que personne n'aurait pu dire que c'étaient des propos blessants. Par exemple, si le riz était collant : « Par ma foi, à l'Est, par chez nous, on a l'art d'arranger toutes les choses avec la même recette. Tout à la même sauce. Le riz, le *khichri**, pareil. » Elle avait une voix si candide qu'on eût dit une douce plaisanterie, ou qu'elle prenait le parti de Maman pour faire la remarque avant que les autres ne la critiquent.

Un jour elle lança, à propos d'un plat de semoule insipide : « Tu as fait bouillir la semoule dans l'eau aujourd'hui, ma belle-fille ! Que voilà une bonne idée. Elle fond tout pareil, et comme ça on épargne le lait de cuisson, après tu ajoutes un petit rien de lait par-dessus et voilà le plat tout prêt. Moi, de mon temps, quand je faisais la semoule, elle buvait tout le lait. Non non, je parle sérieusement. Sûr, le goût n'est pas tout à fait le même, mais si on n'a jamais goûté celle d'avant, on trouvera la tienne très bonne. » Et elle nous regardait avec ingénuité comme si elle nous lançait un défi, allez-y, protestez, est-ce que je suis en train de critiquer votre mère ? C'est tout le contraire, j'admets qu'elle m'a appris quelque chose. Et elle souriait affectueusement en direction de Père. Lequel ne réussit qu'à s'extraire de la gorge un bêlement de rire et à balbutier je ne sais quoi.

Elle était en adoration devant Père. Elle ne se lassait jamais de nous raconter, avec des étincelles dans les yeux, à quel point son fils chéri était merveilleux, plus beau que tous les princes et les nababs, au point que toutes les filles en tombaient à la renverse quand elles le voyaient comme mouches et moustiques sur un coup de bombe flytox.

« Il aurait pu se trouver une fée, lui, mais… s'interrompait-elle sur un long soupir, la fortune n'était pas avec nous. » Maman était à sa besogne, tout près. Muette. « Qui connaît les voies du Seigneur ? Il y a des gens qui ont tout, à qui tout arrive tout cuit sans qu'ils bougent le petit doigt. Ils arrivent les mains vides et pour finir ils prennent des bains de lait. »

Une fois par mois, une fois tous les deux mois, Grand-mère avait une crise, des douleurs dans tout le corps. Pendant la journée, elle prenait la poudre que Grand-père lui faisait envoyer dans un petit sachet. Le soir, repoussant Maman, elle appelait Père à son chevet. Elle geignait, criait et se débattait de tous ses membres. Elle s'emparait de la main de Père et pleurait toutes les larmes de son corps, et Père se mettait à lui faire des massages, la tête, la taille, les pieds. Grand-mère lui donnait ses bénédictions : « Puissent toutes les femmes avoir un fils pareil. » Elle laissait tomber sa tête sur lui, sur ses jambes, embrassait parfois ses pieds. Elle avait l'air de tellement souffrir que par la suite, quand nous vîmes un accouchement au cinéma, son image nous revint instantanément en mémoire. Père lui massait les jambes, des chevilles aux genoux, et elle, elle étalait ses jambes en pleurant et disait : « Masse encore… bien fort… aïe aïe aïe… plus haut… »

4

Père avait la réputation d'être un véritable Videh*, le
« Sans-Corps » de la mythologie, ou un Janaka, toujours
content, aucune privation ne pouvant altérer son humeur.
Jamais il ne rêva de conquérir l'Everest, jamais il ne nourrit
l'ambition de traverser un océan. Il se débrouilla tant bien
que mal pour finir ses études, décrocher un modeste diplôme
d'ingénieur et trouver un emploi dans un groupe industriel
bien coté de la ville, grâce aux relations de Grand-père. Tous
les jours il allait au travail en scooter, revenait en scooter. Il
partait tôt le matin et rentrait en fin d'après-midi à des heures
variables. Il allait aussitôt dans sa chambre se reposer un peu,
puis passait un moment avec Grand-mère et ensuite allait
parfois voir Grand-père au salon, puis ressortait sans préavis,
pour ne rentrer le plus souvent que fort avant dans la nuit.

Derrière la maison, il y avait un lieu qu'on appelait le
Club. Animé par les prétentions à la notabilité des officiers et
riches personnages de la ville. Il y avait là une salle de billard
et diverses possibilités de divertissement ! Père y allait pour
jouer aux cartes. On y célébrait les grandes fêtes religieuses,
ainsi que le Nouvel An, et à cette occasion Maman allait se
joindre à lui. Avec nous, à pied à travers champs, en passant

par-dessus les fils de la clôture. Après la disparition de Grand-père et Grand-mère, Maman se mit à fréquenter davantage le Club, mais auparavant, seul Père y avait ses habitudes.

C'est la musique qui attirait Père dans le salon, la seule société de Grand-père n'y eût pas suffi ! D'abord Grand-père ne parlait pas, il monologuait ; ensuite Père était des plus laconiques. Même sa voix avait quelque chose de mourant. Quand il donnait des ordres à Maman, il était presque inaudible, ce qui n'empêchait pas Maman de s'exécuter. S'il avait quelque chose à nous dire, il le disait à Maman, toujours de cette voix traînante, épuisée.

Nous découvrîmes bien plus tard que la dictature (et pas seulement les Clubs) peut être de plusieurs styles – le comportement autoritaire, la cruauté féroce en est un, l'art de traiter par le mépris en est un autre, comme l'art de faire l'innocent et de ne pas comprendre.

Il est vrai que tout ce qu'il disait à Maman, Père le disait doucement, il le disait à mots comptés. Il est vrai qu'il l'emmenait avec lui chaque fois qu'il était invité à des fêtes, à des réunions. Et quand vint le moment de s'impliquer dans la gestion domestique, après la mort de Grand-père et de Grand-mère, il prit plaisir à rapporter à la maison tous les gadgets du confort moderne. Sans que personne le lui demande. Il achetait tout ce qu'il pouvait. Gaz, cocotte-minute, poêle, chauffe-eau, machine à laver même. Le réfrigérateur, lui, était déjà entré dans les murs du temps de Grand-père, qui, pour des raisons à lui, n'avait pas soulevé d'objection. Et bien d'autres choses encore, que Père nous ramenait infatigablement quand il voyageait, saris, pull-overs pour Maman, jouets et vêtements pour nous.

Mais on sentait chez lui une vague réticence, quelque chose comme un « oui-mais ». Avec son silence consentant à l'autoritarisme de Grand-père, son sourire de connivence avec Grand-mère et ses piques, ses habitudes de détourner le regard et de se renfermer en lui-même. Pas moyen de savoir s'il était à la maison ou s'il n'y était pas. La vie de tous était réglée comme une horloge, tous étaient comme des prisonniers sauf lui, qui voletait à son gré, quand ça lui chantait, libre comme un pinson, faible comme un pinson. Et sans avoir de comptes à rendre à personne.

Père était un grand dévot du Seigneur. Il faisait sa *pouja**
à heure fixe, tous les jours. Maman nettoyait et préparait la pièce dès le matin – lampes à huile avec les mèches, encens, fleurs, lingam* d'argile humide, elle préparait tout. Père arrivait, s'installait, s'asseyait en lotus, nu à l'exception d'un dhoti, allumait les lampes à huile et l'encens, déposait des offrandes de fleurs aux pieds de chaque divinité, aspergeait chaque image et chaque statue d'eau du Gange à l'aide d'une feuille de manguier, se mettait le *tika** de vermillon au front en marmonnant son incantation, *aum, aum*, faisait tourner les lampes pour l'*arti** et émergeait de la pièce en nous enjoignant de venir nous servir de *prasad**. Nous accourions, mettions le *tika* à notre front, et portions les morceaux de fruits confits à notre front aussi avant de nous en régaler.

En hiver, on laissait tiédir au soleil l'eau pour ses ablutions, dans la cour. C'est là qu'il se lavait, à la pompe. Je me souviens de son cordon sacré qui tremblait, et de Père lui-même qui frissonnait à chaque aspersion, et qui chantait en claquant des dents :

Lave-toi la tête et tu trouveras Jagdish le Seigneur de l'Univers
Lave-toi les oreilles et tu trouveras Bhagvân le Seigneur
suprême
Lave-toi le cou et tu trouveras Vaikounth le Seigneur Krishna
Lave-toi le torse et tu trouveras Kashi la ville sainte

De la tête aux pieds, le séjour du Seigneur !

Lors des fêtes religieuses aussi il disait ses prières, sur le perron, il récitait histoires pieuses et contes édifiants. Les jeûnes, il y en avait beaucoup, et Maman les suivait tous scrupuleusement. Mais le jeûne de Navratri, Père n'y manquait jamais, et quand il le rompait, il récitait prières et textes sacrés et se nourrissait des ingrédients bénis par la divinité.

Il demeura toujours sous l'emprise des *sadhou*, astrologues et autres saints hommes, Père. Il était à tel point superstitieux que si Soubodh lui posait une question au moment où il allait partir pour le bureau : « Ah vous partez Père ? S'il vous plaît rapportez-moi tel livre » il s'arrêtait net à la grille : « Espèce d'idiot, tu as mis un obstacle sur mon chemin », faisait demi-tour avec son scooter, revenait à la maison, demandait un verre d'eau et recommençait sa sortie. De même, si un chat venait à lui couper la route, il retournait avec son scooter pour prendre par le grand tour, ou il crachait à grand bruit sur les lieux pour exorciser le passage du chat ! Si c'était un éternuement, arrêt immédiat de l'activité en cours, remise à plus tard. Il y avait toujours quelque chose.

Quand par la suite il se fit disciple du Baba* Touriyatit, ce fut l'abstinence : *pân**, tabac, vin, thé, œufs, oignons, ail, vinaigre furent désormais proscrits. Un soir qu'il rentrait de l'ashram du saint homme, on vit un rickshaw s'arrêter dehors sur le gravillon, et Père en descendre.

L'homme au rickshaw implorait : « Monsieur, ne soyez pas si injuste, on est en pleine nuit, et ça fait cinq roupies de la gare même en plein jour. »

Mais Père n'aurait jamais lâché prise pour un ou deux *anna**, et il n'arrêtait pas d'insulter le pauvre bougre : « Fous-moi le camp d'ici, bon à rien, tu dis n'importe quoi, le jour ce n'est jamais plus de deux roupies, tu crois que c'est la première fois que je fais le trajet ?... La ferme, chenapan, tu sais qu'il y a un poste de police tout près d'ici, tu veux que je leur dise deux mots ou tu me conduis ? Je te donne trois roupies c'est déjà trop, c'est à prendre ou à laisser, si tu n'en veux pas disparais. »

Père rentra encore tout grommelant, lâchant des injures d'une voix d'outre-tombe.

Il fila directement chez Grand-mère. Les yeux encore tout illuminés d'une dévotion mystérieuse, pleins des récits des miracles du saint homme.

« Il n'est pas comme les autres ce Baba, tu sais ! C'est le Seigneur incarné, Amma ! J'ai vu ça tout de suite, dès le premier jour, et le deuxième jour il s'est tourné vers moi, il m'a regardé... ça a été comme une décharge électrique... Le troisième jour il était à côté de moi, il s'est levé, j'avais à peine eu le temps de poser la main sur ses saints pieds que... Amma-ji, j'étais paralysé... paralysé... il dégageait une telle lumière... un tel rayonnement ! »

Ce Baba Touriyatit avait beaucoup de dévots, il circulait quantité d'histoires sur ses miracles, comme celle du paralysé qui s'était mis à marcher, du mourant rendu à la vie, etc., etc. Les gens en vinrent même à mettre la photo du saint homme dans leur autel domestique et à la décorer. Père aussi avait accroché des portraits de lui, de toutes les tailles, sur son scooter, dans sa chambre, dans la salle de prières, au bureau. Il distribuait des petits sachets de cendre ramenés de l'ashram.

Le bruit courait que chez un de ses dévots d'une foi aveugle, on trouvait tous les jours des cendres du saint homme sous l'oreiller. Que chez un autre la forme du signe *aum* apparaissait sur le yoghourt quand il caillait. Chez nous aussi il se passa des choses étranges. Juste sur la main de la photo du saint homme il se forma comme une pulvérulence noirâtre. Père ne se tenait plus de joie, et quand Soubodh enleva le cadre et annonça qu'il s'agissait d'une simple moisissure, Maman fut la seule à sourire discrètement.

Père avait une bonne connaissance des textes sacrés, et de temps en temps il en récitait des passages à Grand-mère. Elle aussi plaçait souvent dans la conversation des versets du *Ramayana* de Toulsidas* ou un vers de Sour*. Elle ne se lassait pas non plus de se plaindre de Maman, qu'on ne voyait jamais occupée à lire ou à réciter quelque chose d'édifiant, et déplorait notre éducation, telle mère, tel fils et telle fille.

Père était convaincu que la connaissance cosmique originelle, toutes les théories, toutes les philosophies nées sous tous les cieux avaient pour source fondamentale notre hindouisme. La langue anglaise n'était venue qu'après, avant « *near* » on avait d'abord eu dans le *Ramcharitmanas* de Toulsidas les formes « *niyar avan* », c'est-à-dire « approche, viens près ». De même pour l'église, le mot *girjaghar* était un tard venu, il y avait d'abord eu Girjâ, le nom de notre déesse. Et dans la Bible, il y avait *aum*, quand Dieu dit : « *I aum that I aum* », la différence à l'écrit, dans « *I am that I am* », était venue de la prononciation. Père nous expliqua aussi que la Bible faisait référence à un avatar de Baba Touriyatit, que le saint homme était lui-même Jésus-Christ, la preuve, quand Jésus dit : « *I shall come again* », l'agneau répondit, « ba-ba », « *the sheep said ba-ba* ».

Mais si Père tenait les Anglais en piètre estime en matière religieuse, il voulait être comme les Anglais dans son mode de vie. Après la mort de Grand-père et Grand-mère, c'est lui qui introduisit chaises et tables dans la salle à manger, et qui y ajouta les serviettes de table, les couteaux et les fourchettes, lui qui était fier de l'anglais de Soubodh, lui qui voulait me faire respecter les règles de la décence traditionnelle, mais en jeans ou en robe.

Quant à ses goûts musicaux, s'ils le portaient à la musique indienne traditionnelle dans le sillage de Grand-père, ils l'inclinaient également vers la musique occidentale. Lui-même ne jouait d'aucun instrument, mais quand Soubodh, de retour de son foyer d'étudiants, m'apprit à danser le twist sur des airs américains, Père n'éleva aucune objection, il esquissa même au contraire un mouvement de rotation des genoux ! Mais si par hasard quelque mélodie populaire passait à la radio, ou des chansons de film, et qu'il venait à l'entendre, il ne disait rien mais s'approchait sans bruit et éteignait la radio, comme si nous n'étions tout simplement pas là et que la radio marchait pour rien ! Nous non plus ne disions rien. Aussi mettions-nous la radio après avoir bien regardé s'il était dans les parages et au moindre bruit de pas nous l'éteignions.

Quand à mon tour je partis dans une résidence universitaire, Père renonça à ses pratiques. Mais le problème, c'est qu'entre-temps notre passion pour les chansons de film s'était pratiquement éteinte !

Il ne fut jamais facile de se disputer avec Père. Comme il ne parlait pas lui même, quel objet aurait pu avoir une dispute à sens unique ? Il restait tranquillement enfermé en lui-même. Il allait voir Grand-mère et si elle avait mal il lui massait les pieds avec de l'huile, il allait s'incliner devant Grand-père et s'asseoir avec lui, il nous dispensait sans doute deux ou trois formules d'affection dont nous n'avons pas souvenir et il remettait à Maman ce qu'il nous avait apporté. Grâce à lui, Maman put abandonner la corvée du charbon et faire cuire au gaz les *roti**, dont le goût nous déplut longtemps, ingrats que nous étions. Même chose pour le dal cuit à la cocotte-minute et non dans les vieux chaudrons de cuivre. Mais c'était un soulagement pour Maman, et un soulagement apporté par Père.

Pour Maman seulement. Rien de tel avec Hardeyi. Même quand la machine à laver fut arrivée, Hardeyi continua à laver la moitié du linge à la main comme avant, en le battant. Dans la cuisine, Maman avait beau réclamer un évier pour qu'Hardeyi ait moins de mal à faire la vaisselle, Père n'en tint pas compte. Peut-être parce que la vaisselle, c'était occasionnellement que Maman la faisait elle-même. Hardeyi continua donc à nettoyer les plats assise par terre, au filet d'eau qui sortait du haut tuyau, attaché à ses chiffons.

Ainsi s'écoula la vie de Maman, en compagnie de Père. Sa routine – interdits alimentaires, organisation des ablutions et des prières –, Maman y veilla toujours scrupuleusement. Quand Père arrivait, il allait dans sa chambre, ôtait son manteau et son pantalon, les laissait simplement tomber par terre sur le tapis, tels quels, encore marqués de la forme de ses membres. Maman arrivait, prenait les vêtements, les secouait, les vidait de la silhouette de Père et les suspendait à un cintre, prêts pour le lendemain, ou les portait à la lessive.

Il n'était pas possible de tenir tête à Père. Nous voulions que Maman le défie aussi, mais en dépit de toutes nos pressions et réprimandes elle ne le fit jamais. De même, elle ne nous parla jamais de cette femme, et jamais nous n'eûmes le courage de l'interroger, mais dans les chuchotis de la nuit nous avions entendu que Père l'avait emmenée à Lucknow. Plus tard, Soubodh arrêta son scooter devant sa maison, à la faveur de la nuit : « C'est elle. » Et même en reconnaissant le cardigan tricoté par Maman, je ne pus en croire mes yeux.

Peut-être ne voulais-je pas y croire. Mais peut-être s'agissait-il d'autre chose. Pour moi, une mauvaise femme, c'était une femme dont le corps éclatait comme une mangue trop mûre, dont les cuisses grasses tremblotaient sous le sari trop serré quand elle marchait et dont le corsage dégageait dans le dos des bouées de chair flasque.

Comme la directrice d'école qui venait rendre visite à Grand-père.

5

La munificence de Grand-père faisait la gloire de la demeure. Car il était bel et bien un grand propriétaire, bien qu'aux temps du mouvement de non-coopération il se fût rallié aux préceptes de Gandhi et eût renoncé à toutes ses terres. Il les mit au nom de Père. Et vécut le restant de ses jours, jusqu'à près de quatre-vingts ans, sur la pension des combattants de la liberté que lui versait l'État.

Il aimait la musique, il aimait la bonne table, il aimait recevoir, il aimait la poésie, les chevaux, il avait tous les goûts des grands. Haute stature, large carrure, la voix qui portait jusqu'au ciel, des moustaches à se balancer dessus. Dhoti à bordure brodée, *kourta** de khadi tissé à la main bien amidonnée par-dessus et, sur les épaules, un châle brodé dont les plis sévères respiraient l'autorité, tel était son vêtement. Et l'hiver, soie tissée à la main.

Il était célèbre dans toute la ville. Quand il mourut, il eut son nom dans les journaux – disparition d'un combattant de la liberté, qui laisse un fils unique et d'autres membres de sa famille. Je m'étais alors demandé où était passée sa fille unique, notre tante, pourquoi elle se retrouvait absorbée dans le « reste de la famille ». N'importe, c'est bien plus tard qu'il est mort. Après avoir été de son vivant un grand homme, dont l'autorité en imposait même aux Anglais. Il avait quelques amis anglais avec qui il allait à la chasse et faisait du cheval, mais il ne s'en laissa jamais imposer par eux.

Mais tout cela, c'était des histoires d'avant nous, qui n'avaient aucun sens pour nous. Quand nous fûmes en âge de les comprendre, Grand-père avait déjà restreint sa sphère d'action au salon. Avec le divan décoré, les fauteuils, les tapis, les crachoirs, le siège où trônait Grand-père, les gros coussins. Il y avait aux murs deux portraits de lui, dans des cadres d'ivoire ancien. Dans l'un, on le voyait debout, droit comme un *i*, en queue-de-pie, la pipe à la main, un chien alsacien en laisse à son côté. Sur l'autre il était assis, mais avec une telle raideur qu'on eût dit un portrait en pied coupé en trois morceaux : des pieds aux genoux, des genoux à la taille, puis de la taille à la tête ! Les paumes des mains maladroitement étalées, bien à plat, bien symétriques, posées sur les cuisses comme des assiettes sur la table.

À part ça, le salon était plein de sa musique. Et de ses courtisans.

Car Grand-père n'avait pas d'amis, il n'avait que des courtisans. C'est pourquoi on n'entendait que ses discours à lui, que sa voix à lui qui résonnait jusqu'au ciel. Sa cour d'admirateurs recevait thé, boissons fraîches et collations à volonté pour prix de sa présence silencieuse et de sa patiente écoute.

C'était la routine immuable de la journée. Grand-père lançait ses ordres de sa voix de stentor, Bhondou se précipitait vers Hardeyi à la porte du fond de la cour, Maman disposait en hâte les plats demandés sur un plateau qu'Hardeyi emportait aussitôt vers le salon. Et cela parfois jusqu'à minuit, en particulier les boissons fraîches et le thé.

Grand-père lui-même ne buvait pas de thé. Matin et soir il prenait une décoction de basilic, sept feuilles bouillies dans du lait. C'était censé le protéger des piqûres de moustiques, et il n'avait donc peur ni de la malaria ni de la dengue. Le reste du temps, il prenait des jus de fruits, sureau, melon, baies.

Ce qui pouvait se passer à la maison, on aurait dit que Grand-père n'en avait cure, qu'il en ignorait tout. Mais en fait c'est lui qui était au courant de tout, et quand bon lui semblait il s'intéressait à tout et pouvait même entendre les non-dits. Pas question de s'opposer à ses vues. Ou de ne pas obtempérer à ses désirs. Quitte à admettre, s'il le disait, qu'une souris était un éléphant, un coup de bâton un geste d'affection. Qu'il donne un ordre et la maisonnée entière était obligatoirement sur le pied de guerre. Qu'il réclame sans y penser, perdu dans ses songeries, un ragoût de pois pimenté et du riz pour son dîner, et Maman se remettait dans l'instant à ses fourneaux, condamnant le repas déjà préparé. Et à cette époque le réfrigérateur n'avait pas encore fait son apparition chez nous. Ces gadgets venus de l'étranger déplaisaient fortement à Grand-père.

Les femmes aussi par ailleurs lui déplaisaient. Il n'aimait pas qu'elles se montrent dans la partie de la maison visible de la rue. Je me souviens qu'il y avait des buissons pleins de baies au bord de l'allée gravillonnée qui menait de la grille à la maison. Nous cueillions à la moindre occasion les petits fruits violets, nous les cueillions même verts et acides. Dès qu'on entendait la grille s'ouvrir, avant même de s'enquérir sur l'arrivant, Grand-père me lançait : « Sounaina, rentre, demande à ce qu'on nous envoie des rafraîchissements. » C'est à des occasions de ce genre que je découvris la femme en moi.

Ni Grand-mère, ni Maman, ni Hardeyi, aucune femme ne l'approchait. Nous nous demandions si Grand-père avait déjà vu une femme dans sa vie.

Mais la directrice d'école était venue, et quelqu'un m'avait brutalement renvoyée à l'intérieur. Grand-mère était allongée, Mère lui faisait des massages, Grand-mère grommelait des horreurs sur l'ignominie des femmes. Oubliant qu'elle en était une, elle aussi. Et d'insulter Maman, sur sa lancée :

« De la fausse monnaie, voilà ce qu'ils m'ont fourgué. Pauvre petit prince, mon raja, mon fils. Qui l'aurait dit, qui l'eût cru, que ça se passerait comme ça ici, Dieu sait quel malheur... Mon fils, pauvre de lui... Dieu sait quel jeu il joue, l'autre fils de Pourohit*, l'ordure... »

Maman ne répondit rien, simplement elle se leva et partit, pour revenir quelques minutes plus tard avec une petite fiole d'huile et se mettre à lustrer la chevelure de Grand-mère.

Ils avaient concocté ensemble je ne sais quelle histoire pour nous expédier dans la cour et nous empêcher de bouger. Mais le peu que nous comprenions sans y comprendre grand-chose nous donna des ailes pour trouver le moyen de grimper sur le toit. Et là, d'en haut, nous l'avions vue, la femme, avec son corps de bufflesse, sa peau huileuse, luisante, qui balançait son petit sac à main en perles, ses chairs opulentes tressautant en mesure. Elle marchait devant un jeune garçon qui la suivait, peut-être son fils.

Sur le coup nous n'avions rien compris. Puis vint l'âge où nous comprîmes même ce qui n'existait pas. Ensuite vint l'âge où il nous parut mélodramatique de tout comprendre, d'en savoir plus que le strict nécessaire. Tous ces tours et détours du comprendre sont à présent si embrouillés qu'il est impossible d'y voir clair, de trouver l'équilibre – est-ce que comprendre c'est nécessairement faire du mélodrame, ne pas comprendre est-il nécessairement plus proche de la réalité, comment savoir. Tout ce qu'il en reste c'est cette image qui surgit en nous par intermittence, du garçon qui marche derrière la femme, tête basse. Son visage ressemblait-il à celui de quelqu'un qu'on connaissait bien ? Une ombre de chez nous descendue sur lui, passée dans ses traits ? Un nez, les lèvres, quelque autre trait ?

Comment des choses pareilles peuvent-elles arriver ? Est-ce qu'un anonyme, inconnu, peut comme ça disparaître, et que personne jamais ne vienne à savoir qu'une lettre a été inscrite ici, qui s'est effacée ? Si nous enterrons une telle histoire, ne viendra-t-elle pas un beau jour se prendre aux pieds de quelqu'un pour exhaler sa douleur ? Si quelqu'un se met à creuser sur les lieux, la déterre par hasard, ne lâchera-t-elle pas sa vérité ?

Voilà qui fait peur. Repousser outre mort quelqu'un qui n'a pas de nom, qui est même invisible. Faire disparaître quelqu'un, dans le vide.

Quand tire-t-on le rideau sur une pièce vide ? C'est un peu ce que nous aussi nous avons fait pour maintenir dans le non-dit tant et tant d'histoires advenues, un enterrement sans cérémonie. Comme si elles n'avaient pas eu lieu.

Nous avions reproché à Maman de laisser Grand-mère dire toutes ces horreurs. Maman nous avait raconté : la plaque dénudée sur le cuir chevelu de Grand-mère, ce n'était pas la vieillesse. Elle se cachait dans le débarras quand Grand-père était ivre, et il l'en tirait en la traînant par les cheveux. Maman avait dit qu'elle était de la même espèce que Grand-mère et qu'on ne peut pas rudoyer quelqu'un de sa propre espèce. Et moi, décelant sur ma personne le reflet de l'une et l'autre, je me sens prise d'une étrange faiblesse. Je ne peux pas blâmer celles dont les traits et les formes se retrouvent sur mon visage et mon corps.

La directrice d'école était venue rencontrer Grand-père dans son salon. Elle était venue quelques fois, un jour elle disparut, on ne la revit jamais.

La vie de la maison continua comme à l'accoutumée. Grand-père, les yeux clos, les mains suivant le rythme, continuait à se délecter de sa musique.

Mais nous, personne d'entre nous n'avait le droit ni de chanter ni de danser. Un jour il était dans la salle de bains et Maman revenait de son salon en fredonnant ; il surgit comme un diable, ouvrant la porte du salon, et Maman se couvrant en toute hâte s'immobilisa.

« Qui est-ce qui chantait ? Qui est-ce qui chantait ? »

Il se contenta de cette question et, sans attendre la réponse, repartit à ses ablutions. Je peux en jurer, nous n'entendîmes plus jamais Maman fredonner.

Mais le problème, c'est que nous étions tous les deux tombés dans la passion de la danse et de la musique. Soubodh commença à prendre des cours de guitare à son école. La mienne n'offrait pas cette possibilité, ne proposant comme sujet extrascolaire que les travaux ménagers – cuisine, couture, tricot – qui ne m'intéressaient pas. Je harcelai Maman tant et si bien qu'elle en parla à la sœur de Nagji Akka au Club et fit venir le professeur de chant classique de sa fille, Ustad Nanhe Khan, pour qu'il me donne des cours à domicile. Il devait passer par-dessus la clôture de derrière et traverser la cour. Tout fut finalement arrangé. Et Nanhe Khan fit tout chavirer. On ne lui avait pas assez bien expliqué la subtilité de ces plans. Après avoir passé la cour, il pensa qu'il était plus simple de repartir par le portail d'entrée et de prendre un rickshaw pour le bazar. Grand-père le vit, le convoqua, le sermonna, le révoqua.

Toutes les explications qu'avait préparées Maman ne servirent de rien : une parole de Grand-père avait suffi pour mettre en fuite l'artiste pour toujours, comme un couperet.

Grand-père en profita pour faire renforcer les barbelés de la clôture. Il me fit la leçon en sanskrit, des passages dont le sens revenait à peu près à prouver que les chanteuses et les danseuses qui avaient des bracelets de cheville à grelots étaient des femmes de mauvaise vie, et celles qui avaient les dents de devant qui avancent étaient des femmes sages.

Mais il était favorable à ce que nous apprenions l'anglais. C'est lui qui avait envoyé Soubodh dans une pension dont le personnel était en partie anglais, dans l'intention de faire de lui un fonctionnaire « anglais ». La première fois que Soubodh revint à la maison, il avait oublié pas mal de son hindi ! On avait servi des gombos à table et il ne se souvenait plus du nom hindi « *bhindi* ». « Ça… ça… donne-moi de ça… », disait-il en désignant le plat du geste, comme les muets. Maman avait éclaté de rire.

Moi aussi, Grand-père m'avait fait inscrire dans une école de missionnaires de la ville qui portait le beau nom de Sunny Side Convent, bien fait pour nos contrées torrides. Grand-père voulait que j'apprenne l'anglais.

Mais pas que je parle ! Pas plus en anglais qu'en hindi d'ailleurs.

Quand Grand-mère se cassa la jambe, Grand-père n'alla pas la voir. Il nous faisait appeler pour avoir des nouvelles et demandait tous les détails à Père. C'est nous qui lui avions appris au retour de l'hôpital que tout s'était bien passé, que l'opération avait réussi, qu'elle s'était réveillée après l'anes-thésie. Et nous avions pu voir trembler ses lèvres, derrière ses moustaches, Grand-père au bord des larmes.

Nous redoutions Grand-père, depuis notre petite enfance. Longtemps nous nous étions tenus à distance de lui. Quand Soubodh rentra de son internat, il avait les cheveux longs, souples, une vraie chevelure de héros, gonflante. Il devait avoir quatorze ou quinze ans. « Qu'est-ce que c'est que ça ! » fit Grand-père en fronçant le sourcil. Le barbier fut convoqué. « On dirait un chrétien. » Soubodh fut arrimé sur une chaise dans la véranda, dehors, couvert d'un drap, et sa tête soumise à l'opération. Il avait le visage rouge de colère et d'embarras, il était au bord des larmes.

J'étais allée avertir Maman, occupée à pétrir la pâte. Elle ne répondit rien, enleva la farine collée à sa main, qu'elle essuya du bord de son sari, en arrangea le pan sur sa tête, et dit, la voix haute de derrière le voile : « Soubodh, viens ici. »

Grand-père était dans le salon. Maman entra et, débarrassant d'un coup Soubodh de son drap, l'attira à l'intérieur, sur ces mots bien distincts : « Maintenant ça suffit. C'est assez. Sors d'ici. »

La coupe de cheveux était faite mais Grand-père avait ordonné le rasage intégral et d'une certaine façon Soubodh y avait échappé d'un cheveu.

6

Soubodh avait deux ans de moins que moi. Il était beau, le teint plutôt foncé, longiligne. Nous avons beaucoup joué ensemble. Au début, on me disait : « Veille sur ton petit frère », par la suite on se mit à lui dire : « Veille sur ta sœur. »

Quand Soubodh naquit, me raconta Grand-mère, Père en avait pleuré. Il m'avait serrée dans ses bras en disant : « Je le savais, je le savais... J'ai vu Baba en songe... Il m'a dit que ce serait un garçon. » Grand-père aussi était transporté. C'est lui qui lui donna le nom de Soubodh, Père aurait voulu l'appeler Kaustoubh.

Grand-mère prenait le bébé sur ses genoux, le sari relevé. Elle lui faisait des massages avec une préparation à base de moutarde macérée dans le lait et séchée, broyée avec des graines de sésame et de pavot. J'en ai encore le parfum qui me remonte aux narines depuis ma lointaine enfance et décante lentement en moi. Elle le frictionnait de cet onguent, ôtait l'excédent, l'habillait d'une chemise légère et l'abandonnait à mes soins dans la véranda, tout chouinant : « Sounaina, tu t'occupes de ton frère, hein ? »

Grand-mère avait un autre passe-temps. Jusqu'à ce qu'il soit grandet elle lui faisait des massages et le chatouillait entre les jambes : « Oh là, mon petit bout de chou, mon petit bonhomme, mon petit garçon chéri… Ne fais pas ton petit diable… N'asperge pas ta grand-mère avec ton eau du Gange, frérot… »

Elle le mettait au lit avec les mêmes cajoleries : « Regardez-moi comment il est, un vrai petit nabab allongé, déjà un homme, hé hé hé… Exactement comme son papa… ! »

Maman disait que Soubodh, c'est Grand-mère qui l'avait élevé, qu'elle-même n'était que sa mère nourricière. Sa seule tâche était de l'allaiter. Soubodh, lui, était devenu un inconditionnel de la tétée et, même arrivé en âge de marcher, il se précipitait sur elle dès qu'il la voyait et disparaissait sous le pan de son sari. Et si Maman essayait de l'en empêcher Grand-mère de s'interposer : « Ah là là, mon Dieu, dire qu'il m'aura fallu voir des choses pareilles ! Une mère qui se fait passer avant son enfant ! »

Maman serrait les lèvres de douleur : « Amma-ji, il a des dents, il mord, il faut qu'il perde cette habitude », et Grand-mère lançait avec virulence : « Eh Ram, eh Ram, le petit va y laisser la santé, et c'est tout ce que ça lui fait », s'extrayant pour l'occasion une ou deux larmes des yeux.

On en arriva au point qu'au moindre pleur de Soubodh, au moindre prétexte, s'il ne voulait pas se calmer, tous s'y mettaient, Grand-père, Père, Grand-mère, chacun à sa façon, ils donnaient le même ordre : « Allons, va dire à Maman de venir, qu'est-ce qu'il a, le petit, pourquoi il pleure à la fin », et Maman accourait, rouge de honte, mettait Soubodh à son sein avec des gestes de coupable, de nuit comme de jour.

Maman me montra un jour ses seins, tout meurtris et rougis d'avoir été constamment assaillis par Soubodh.

Un jour elle me donna même le sein, que je voie ce que ce petit pouvait bien trouver à son lait pour s'en gorger comme ça. Amer, sucré, je n'ai pas souvenir. C'était doux et tendre, et je bus tout doucement, tout doucement, un petit peu du lait de Maman.

Moi aussi je faisais tout ce que je pouvais pour entraîner Soubodh dans une distraction ou une autre avant que l'ordre fatal n'ait retenti dans la maison, dès qu'il se mettait à pleurer. S'il apercevait Maman et que je voyais s'allumer dans ses yeux l'éclair du désir de téter, j'accourais aussitôt et lui fourrais dans la bouche un biscuit ou une gâterie quelconque.

Pourtant, on s'entendait très bien, Soubodh et moi. Nous passions nos journées dans les champs, dans les arbres, sous les arbres, sur le toit, à jouer, à grignoter, à bavarder, à nous promener. Et autrement, à nous régaler de sucre brut, de sucre candi, de poudre de pétales de blé. On la met dans la bouche, la poudre, et on dit « Phoupha », et ça fait un nuage de blé en poudre qui s'envole. Et on est morts de rire. À la première pluie, on courait se faire tremper, on riait au déluge de coups qui nous pleuvait dessus, des gouttes grosses et dures comme des cailloux, on en avait les mains qui piquaient et on criait : « Aou-aou », on faisait flotter des petits bateaux en papier dans les rigoles débordantes, et on se mettait sous les torrents qui coulaient des gouttières, haletants. On sautait dans l'eau à grand bruit, on riait, on riait comme des fontaines de rire.

Toute notre enfance, nous n'avons été tous les deux que « nous ». Se séparer après avoir été « nous » n'a pas été facile.

Mais même le simple « après » n'a pas été facile.

Soubodh dormait entre Maman et moi, et la nuit c'est moi qui me levais pour le couvrir. S'il avait besoin d'aller aux toilettes, c'est moi qu'il réveillait. S'il avait la fièvre, moi qui étendais le bras dans la nuit pour vérifier de la main sa température.

Depuis que j'allais à l'école, Père me parlait en anglais et je ne trouvais pas d'autre réponse que de baisser les yeux, intimidée.

« Hé ! toi ! parle, réponds, petite sotte, me tançait Grand-mère en me pinçant, sinon par les temps qui courent qui voudra t'épouser ! »

On n'épiloguait pas, le sujet était vite oublié. Mais Soubodh comprenait tout désormais et quelque temps plus tard il lui dit : « Grand-mère, ça ne fait rien, moi je me marierai avec elle, Souni. »

C'est ainsi qu'il ne m'abandonna jamais. Il quitta la maison, mais il ne se distancia pas de moi. Il n'avait qu'une chose en tête, c'était de me tirer de là. Il discutait avec moi, m'apportait des vêtements et des livres, tout pour me mettre en mesure de sortir de là.

Une seule chose en tête – me sortir de là.

Et nous deux, la seule chose que nous avions en tête, c'était sortir Maman de là. Je ne sais pas depuis quand nous nous étions mis dans la tête que sa vie, et en particulier son avenir, nous appartenait. Père n'intervenait pas dans cette vie, ou s'il y intervenait c'était en tant que pièce rapportée, liée à Maman, pas plus ! Les seuls à exister véritablement c'étaient nous trois – Maman, Soubodh et moi. Dont la vraie vie était dehors, à l'extérieur de la maison. Qui vivions dans la maison en attendant, c'est tout.

Les soirées, on les passait dans la même chambre, Maman, Soubodh et moi. Maman nous racontait des histoires et nous, on se chamaillait, on se bagarrait, on papotait. Personne d'autre n'avait accès à cette chambre, on pouvait donc y faire ce que bon nous semblait sans répartition préalable des rôles. N'importe lequel des trois apportait l'eau, n'importe qui mettait les moustiquaires, n'importe qui fermait les portes, n'importe qui rangeait les livres.

Nous avions nos jeux à nous, tous les deux. De notre temps, les jouets n'avaient pas encore inondé le marché. Longtemps donc, les jouets qui arrivaient ne connurent pas de destinataire particulier, tel jouet pour Soubodh, tel jouet pour moi. Les voitures et les armes pour lui, et les poupées et la dînette pour moi, nous ignorions cette division du travail. Il y avait certes les jouets de fille et les jouets de garçon, mais la manie de la différenciation sexuelle ne leur avait pas imposé son hégémonie.

Ou était-ce que notre relation l'aurait gommée ? Père nous apporta des fruits et légumes en terre cuite, mais qui avaient l'air aussi vrais que les vrais fruits et les vrais légumes ; il acheta de la vaisselle en bois, et Maman nous donna des poupées de chiffon bourrées avec du coton et avec sur la tête des cheveux en laine. De la foire de Dassehra* nous arrivèrent des arcs et des flèches, du marché de Diwali* des oiseaux, des chats en terre peinte. Des tambours, des flûtes, des cerfs-volants, toute la panoplie.

Masculin, féminin, la nuance si elle existait ne se voyait guère.

On jouait tous les deux ensemble, à aménager notre maison – on se fit un fourneau en terre, on alluma un vrai feu, on fit du thé pour donner à Bhondou. On jouait au marchand, au docteur. Je ne me souviens pas d'où nous sortions nos scénarios, s'ils se faisaient tout seuls, mais nous enfilions les dialogues les uns derrière les autres, des heures durant, il se passait quantité d'événements. Il nous arrivait même de renoncer au langage pour prononcer des phrases chargées d'émotions variées, mais qui n'avaient aucun sens, pur blabla,

pur enchaînement de sons imitant des structures de mots –
« *gauvi pauvi, ay khe phoun parandol kanmish vyounra !...* »

On était le jardinier, on était le cuisinier, on était le petit-
fils et la petite-fille, on était le voisin. On montait le stock
de nos magasins avec des bûches, des cailloux, des brindilles,
notre monnaie, c'étaient des feuilles, on se fabriquait tout un
petit monde avec de l'argile. Tout ce qui pouvait manquer se
trouvait recréé avec des fleurs de jasmin dont on faisait pro-
vision, qu'on enfilait à l'aide d'une aiguille, dont on faisait
des colliers qui ne passaient pas par la tête, des bracelets qui
ne tenaient pas aux poignets, mais pouvaient jouer le rôle des
divers objets manquants, les médicaments de la pharmacie
aujourd'hui, les larcins du voleur demain ! On peut le dire,
chez nous, tout objet était le joker du jeu de cartes, enchan-
teur, magnifique, car on pouvait en faire n'importe quoi.

Nous grandissions ensemble, dans une seule et même
enfance. Jusqu'à la septième nous sommes allés à la même
école, mais à partir de la sixième, comme Sunnyside Convent
n'acceptait que les filles, on mit Soubodh en pension, dans
la grande ville, pour qu'il apprenne les bonnes manières
anglaises.

Je devais encore être petite. J'entendis dire que Soubodh
revenait à la maison. Après une longue absence. Prise de
timidité, Dieu sait pourquoi, je filai me cacher sur la terrasse,
là-haut. Pour guetter la grille d'entrée. Soubodh arriva, grandi,
différent, plus adulte me sembla-t-il. Pantalon, cravate, sou-
liers et chaussettes. Le même visage, mais tellement changé !
Et tout à coup une horrible question me traversa l'esprit :
« Comment savoir si c'est mon frère ? » Je ne me rappelle
plus quand s'émoussa ce sentiment d'étrangeté, quand je
finis par m'habituer à ce qu'il revienne un jour, s'en aille
le lendemain. Il arrivait et c'était comme s'il avait toujours

été là avec moi, il partait et c'était comme si nous avions été séparés tous les jours.

Mais cet exil avait décuplé le prestige de Soubodh à la maison. Grand-père et Père déballaient leur anglais devant lui pour un oui ou pour un non. Mais Maman ne savait pas l'anglais. Sans parler de Grand-mère, qui n'entendait même pas le hindi standard. Et donc, c'était un concert de langues diverses, dans tous les coins de la maison.

Soubodh nous racontait son école. Il y faisait de la natation, de l'équitation, du football, du hockey, du cricket. Il nous montrait les photos, celles de la fête de fin d'année avec l'école des filles, tenue par les religieuses, les bals. Il avait appris la danse de salon. Passant son bras à ma taille, il me prit la main et me fit danser sur la musique d'un disque qu'il avait mis sur le pick-up familial. « Comme ça ! » Sur une des photos, il y avait une fille qui se cachait les yeux de la main, pour échapper au photographe, craignant peut-être d'être reconnue par ses parents.

Dans son école, on pratiquait aussi les châtiments corporels. Celui qui avait fait une faute devait baisser culotte devant tout le monde et offrir son postérieur à la trique punitive, nous racontait-il avec fierté. Pour un mot hindi lâché en dehors du cours de hindi, un coup de trique, *vlan* ! Soubodh s'était mis à parler anglais avec aisance, il disait : « *Hi, bye Mom* », et Père admettait qu'il parlait mieux que lui, « forcément, avec des professeurs anglais… ».

Soubodh me promit qu'il m'apprendrait le bon anglais, avec le bon accent, qu'il me sortirait de là…

Même Grand-mère brûlait d'envie d'entendre son stock d'histoires – à la gare c'était comment ? dans le train, c'était comment ? où était-il parti en voyage scolaire ? quel était le programme de la fête des fondateurs ? Elle voulait savoir tout ce qui se passait de nouveau.

Et puis il devait repartir. Il disait à Maman : « Tes *laddou* de farine de pois, tout le monde en raffole, tu peux m'en mettre dans ma boîte ? » Et le parfum de la farine de pois grillée dans le beurre clarifié se mettait à flotter dans la cour, la spatule de fer commençait sa danse dans la bassine, et sa musique aussi, fer contre fer, *tantantanak*. Puis, toute rouge, Maman s'essuyant le visage du bord de son sari, arrivait avec un grand plateau de pâte de pois cuite et Grand-mère en faisait de petits morceaux qu'elle pétrissait amoureusement en petites boules rondes, avec ses mains. Les *laddou* ensuite bien rangés sur un plateau, elle nous en donnait quelques-uns, encore tout chauds.

7

Quand Soubodh repartait pour son pensionnat, je restais seule. Il y avait l'école. Il y avait les copines de classe. Mais mes relations avec elles ne sortaient pas des limites de l'école. Nous allions bien rendre visite pour Holi* ou Diwali aux filles dont Père ou Grand-père connaissaient les parents, mais celles que je rencontrais en dehors de l'école étaient justement celles dont je n'appréciais pas particulièrement la compagnie à l'école. C'est-à-dire celles qui n'étaient pas pour moi des vraies amies. Et celles qui se trouvaient avoir un frère de treize ou quatorze ans, Grand-père avait dit haut et clair qu'il n'y avait pas besoin de visite.

En rentrant de l'école, je me promenais dans notre vaste propriété. Dans le bois de goyaviers, sur le toit en terrasse à l'ombre des manguiers, ou du côté des logements des domestiques, ou vers le puits où les deux bœufs attelés tournaient pour puiser l'eau qui irriguait nos champs. Si Grand-père me voyait, il me lançait d'une voix brève : « Va voir ta mère. » Père aussi disait à Maman de me surveiller de près, comment savoir avec les domestiques, on ne pouvait jamais avoir confiance. Grand-mère disait : « La fille est en âge » ; et moi je me demandais ce que pouvait bien être la fille en âge. Pleine d'appréhension et d'excitation, je tournais et retournais cette énigme. Mais qui aurait pu empêcher qui que ce soit d'aller et venir, dans cette grande propriété, qui aurait pu surveiller quelqu'un ? Impossible !

Maman, elle, n'interdisait jamais rien. On s'imaginait qu'elle ne faisait pas attention. Mais s'il fallait m'appeler pour manger, elle envoyait d'emblée Hardeyi à l'endroit exact où je me trouvais : vers la murette de terre sèche, dans ma chambre, près d'un arbre, sur le toit.

Elle ne faisait jamais non plus aucun reproche. Il y avait des choses qui me faisaient trembler, je me disais : « Si on m'attrape, c'est la fin, la seule manière de m'en tirer c'est de mentir. » Mais Maman ne posait jamais de questions, et je n'avais pas besoin de mentir.

Un jour, je me mis à voler de l'argent. À l'école, pendant la récréation, un vendeur de glaces passait, avec ses glaces roses, orange, de toutes les couleurs. Nos préférées, les plus succulentes, c'étaient les glaces à cinq sous, un mélange incomparable d'eau et de sucre. J'entrepris de réunir la somme, piquant à droite et à gauche. Bhondou remettait la monnaie des courses à Hardeyi, Hardeyi à Maman, et Maman la rangeait, ou me demandait de la ranger. C'est là que je déployais tous mes talents. Puis un jour je vis Maman ranger des billets de dix roupies dans une malle, et il en disparut trois ou quatre.

Elle me demanda un peu plus tard : « Tu sais où on range l'argent ? » Comme elle ne me demandait jamais rien d'habitude, je perdis contenance et me mis à bredouiller : « Heu… heu… peut-être, j'ai dû voir, je crois… dans une enveloppe… entre les livres… » Et je sortis la maudite liasse de mon sac pour la tendre à Maman. L'affaire fut réglée.

Aujourd'hui je me demande comment j'avais pu imaginer que Maman ne se rendait pas compte. Et si elle s'était rendu compte de mes petites manipulations, pourquoi n'avait-elle rien dit ?

Comme si elle ne réfléchissait pas. Elle entendait ce qu'on voulait bien lui dire, c'est tout, elle ne ressassait jamais. Un jour je découvris dans la chambre de Père un drôle de livre illustré. Je me mis à le lire en cachette. Maman arriva et me dit simplement, calmement : « Tu lis chez ton Père, c'est quelque chose d'intéressant ? – C'est dégoûtant Maman, regarde », lui répondis-je, mise en confiance par son calme et son naturel. Et je lui tendis le livre. « Hum hum… bizarre en effet… c'est n'importe quoi, ça se vend comme des petits pains, même si le lecteur ne trouve rien d'instructif là-dedans. » Maman n'insista pas, ne m'enleva pas non plus le livre des mains. Je le feuilletai tranquillement, laissant décanter ce qu'elle m'avait dit ; il devait y avoir des choses instructives dans d'autres livres, qui ne se vendaient pas aussi bien. Si j'en restais à celui-là, comment pourrais-je m'instruire ?

C'est souvent que Maman nous renvoyait ainsi à nous-mêmes. Elle ne savait pas nous faire les gros yeux, ni froncer les sourcils. Le « vol » était une chose à part, le « livre douteux » une autre chose à part, et nous, nous étions à part. À part, et du côté du bien. Cette confiance qu'elle avait en nous nous poussait de l'avant.

Mais pour dire la vérité, cette confiance même nous effrayait aussi, nous chargeait d'une lourde responsabilité.

Nous imaginions que Maman était notre seule respon-sabilité, notre seule charge. Depuis que nous avions pris conscience des choses, notre souhait unique avait été de lui donner confiance en elle par notre amour et de la faire aller de l'avant, de la sauver : c'est ce à quoi nous avons consacré notre jeunesse. Le poids de cette responsabilité nous écrasa. Les autres se servirent d'elle pour nous écraser. Tous, Grand-père,

Grand-mère, Père, tiraient prétexte d'elle comme d'un otage pour faire prévaloir leurs propres désirs, leurs propres ordres à notre endroit avant de décocher leurs flèches.

Nous ne comprenions pas à l'époque qu'elle était une source de force par la confiance qu'elle avait en nous. Nous ne voyions que son impuissance, qui nous faisait pleurer. Père disait : « Tu n'es qu'un pot informe au fond bosselé, qui tombe dans le sens où on le pousse. » Il disait : « Les enfants te font tourner en bourrique. » Tandis qu'elle nous faisait part de ce que Père avait décidé, elle écoutait notre point de vue : elle ne disait rien, mais elle avait une façon à elle de se taire qui nous donnait des ailes dans tout ce que nous entreprenions.

Elle faisait en sorte que Père n'ait jamais l'impression de se faire avoir par nos caprices, qu'il s'agisse d'aller voir un film, un récital de danse, un spectacle, de rendre visite à une amie nantie d'un frère, de s'inscrire en sciences plutôt qu'en lettres, nous escortant jusqu'au portail derrière la cour, avec un naturel si parfait que Père nous croyait toujours occupés à jouer quelque part, sur le toit, à cueillir des goyaves au jardin, à grignoter des cannes à sucre. C'est Maman qui signa mon formulaire d'inscription en biologie.

Par la suite, elle ferma les yeux, comme disait Père, sur de pires énormités. Elle reçut la fiancée étrangère de Soubodh, fit pour elle le traditionnel *arti* et accepta mon compagnon Vikram comme s'il était le maître des lieux légitime. Jamais elle ne taxa Judith, la fiancée de Soubodh, d'impure, comme le faisait Père, parce qu'elle fumait et buvait de l'alcool. Jamais elle ne put se résoudre à la considérer comme une pécheresse. Il y avait quelque chose en elle qui se refusait au jugement tranchant. Peut-être était-elle elle-même incapable de jugement. Elle laissait les autres s'ouvrir devant elle, révéler peu à peu leur moi intime. Et quand quelque chose lui plaisait, elle le respectait vraiment, quand elle aimait, c'était en elle une fontaine de tendresse débordante. Devant cette confiance imperturbable qu'elle avait en nous, nous ne pouvions pas tricher.

Mais c'est cette confiance qui mit du sérieux dans ma frivolité primesautière.

Cette confiance, et pas les remontrances de Grand-mère. Grand-mère n'aimait pas mon côté primesautier. Toute manifestation de spontanéité la mettait en rage.

« Assieds-toi correctement. Regarde un peu à quoi ça ressemble, tu t'assieds les jambes écartées comme une femme de mauvaise vie. »

Et comme je m'allongeais sur le divan, elle me couvrit aussitôt avec son drap : « Petite sotte, tu ne sais pas que le regard des hommes c'est comme l'œil de l'aigle, il ne faut pas s'exposer comme ça. »

Lorsque je prononçai les mots de mariage d'amour, ce fut pire qu'une décharge électrique : « C'est ça, allez-y, il ne manque plus que de l'envoyer à l'école anglaise ! »

Elle était comme ça, Grand-mère. Une fois, la femme du balayeur se fit piquer par un serpent. Quelqu'un vint nous dire : « Bahou-ji, Bahou-ji, il y a Champi qui s'est fait piquer par un serpent. » Soubodh était là, il ne fit qu'un bond et partit voir de quoi il s'agissait. Moi aussi je me levai précipitamment, mais elle m'arrêta net dans mon élan : « Ne bouge pas, reste assise, ça ne se fait pas de s'agiter dans tous les sens. »

Je me rassis, complètement inhibée, l'impression que toute manifestation d'enthousiasme spontané était une chose honteuse.

Père disait toujours à Maman : « Tiens-la à l'œil. » Quand Soubodh était là, nous allions au Club jouer au *carrom*, avec les enfants des amis de Père. Et moi, je voulais absolument gagner, une passion irrésistible. Un jour, je fus prise d'une terrible envie de faire pipi, une envie pressante, mais je ne pouvais pas me résoudre à quitter le jeu, si près de la victoire ! Tout à coup, l'illumination, vrai défi aux lois de Newton – faire sur place, là, sans rien dire, sans bouger, il n'y aura que mes habits qui seront mouillés. Et c'est ce que je fis ! Seulement, il y a une chose à laquelle je n'avais pas pensé – je devais être vraiment petite à l'époque, du moins je l'espère – c'est que le bruit alerterait les autres. « Qu'est-ce que c'est ? demanda Soubodh en se penchant vers moi. Oh, Souni, tu as fait sous toi. » Il avait deux ans de moins que moi. « Non, je n'ai pas fait, je n'ai pas fait », insistai-je désespérément, tentant d'étouffer le bruit. Mais il y a des choses qu'on ne peut pas interrompre une fois qu'elles sont commencées. « Si, si, insistait Soubodh de son côté, regarde sous ta chaise. » Le fils et la fille des « amis », heureusement, ne regardaient pas. Pourquoi fraie-t-elle avec le fils, disait Père à Maman, alors que la sœur est là aussi ?

Ils étaient tous anxieux. Sauf Maman, qui semblait ne pas trop savoir ce que nous faisions, où nous étions. Ils étaient tous bien déterminés à me caler derrière le véritable *pardah*. Elle, c'était comme si elle le faisait glisser, comme par erreur, avant qu'il soit définitivement ajusté, mon *pardah*.

Elle était malgré tout dans la minorité, saisissant la moindre occasion pour désajuster le voile, lui donner un peu de jeu, mais la majorité veillait au grain, rattrapant le voile en déroute, pour qu'il ne tombe jamais complètement. Moi, j'étais peut-être en train de commencer à me faire au vrai *pardah*, à moitié dedans, à moitié dehors. Je me mis à baisser systématiquement les yeux, à parler sans lever la voix, à rentrer les épaules…

Mais le feu qui couvait derrière le *pardah*, trouvant quelques molécules d'oxygène à chaque fois que s'entrouvrait le voile, se mit alors à prendre brusquement, à devenir un brasier qui allait réduire le *pardah* en cendres.

Ce feu, c'est Maman qui l'avait allumé, disait Grand-mère, et c'est Soubodh qui l'entretenait, disait Grand-père, tandis que Père se concentrait sur sa propre poitrine, qu'il massait indéfiniment pour déjouer l'attaque cardiaque.

Et Maman ?

Elle ne disait rien. Elle, elle était vraiment voilée. Quant au feu qui pouvait couver sous son voile, elle devait le refouler vers l'intérieur, et ne le laissait pas sortir.

C'était là la grande différence entre Maman et moi. Le feu qui l'habitait brûla toujours au-dedans, alors que le mien passa au-dehors. Mais le feu, toutes les deux, assurément, nous l'avions en nous.

8

Pourtant, le feu n'avait pas de place dans mon enfance. Et celui qui couvait en Maman n'avait pas de place du tout. Ni dans son enfance ni dans sa jeunesse, ni dans sa vieillesse. Personne ne le vit, personne ne le connut jamais. Elle le refoula en elle et le dissimula si bien que rien ne trahissait au-dehors l'ardeur des tisons au-dedans, dans la fraîcheur sereine qui émanait d'elle. Nous n'avons pu que deviner ce feu qu'elle avait en elle. Que nous l'imaginer.

Et l'imaginer, seulement quand nous avons commencé à réfléchir sur ce que nous pensions. Quand il nous devint difficile de laisser cohabiter en bonne harmonie nos pensées contradictoires. Quand l'ombre muette piégée par ses bourreaux commença à nous faire réfléchir aux divers sens de ce mutisme. Nous nous étions toujours considérés comme ses protecteurs, nous qui nous battions contre tout et tous pour la sauver. Nous n'avions jamais imaginé être nous-mêmes sous sa protection, bien en sécurité dans sa protection. Ou c'était sans y penser vraiment.

Nous n'avions jamais imaginé Maman sans nous. Sa vie même, pensions-nous, avait commencé avec nous.

Ce n'est que par la suite que nous avons perçu les restes de ce feu, les cendres froides qui pleuvaient de son regard en larmes invisibles. Que de choses alors nous apparurent nimbées de cette pellicule de cendres.

La seule chose que nous connaissions à l'époque, c'était Maman pour nous, et nous. Sa façon de se laisser exploiter comme un pantin par les autres, d'assouvir leurs moindres désirs et de survivre sur leurs restes, cela nous rendait fous de rage. Grand-père appréciait les *tchapati* à la farine de pois grillée et les *pakaura** de chou-fleur, il en avait autant qu'il voulait. Quand personne n'en voulait, elles finissaient par échouer chez Maman. Grand-mère était friande de beignets salés à la farine de riz, et s'il en restait de la veille, les restes étaient pour Maman. Ce que Père laissait sur son assiette finissait aussi dans l'assiette de Maman. Ce dont nous raffolions, Maman feignait discrètement de ne pas l'aimer. Grand-père et Grand-mère ne supportaient pas les aliments passés par le réfrigérateur – une fois refroidie, la nourriture perd ses propriétés régénératrices, prétendaient-ils – et c'était pour Maman. Si d'aventure le plat préparé pour le déjeuner réapparaissait sur la table au dîner, Grand-mère se déchaînait : « Vous les jeunes vous faites ce que vous voulez, mais fais-nous au moins deux *roti* fraîches pour nous les vieux. Et si tu ne peux vraiment pas faire ça, tu n'as qu'à le dire, je me débrouillerai pour le faire moi-même. J'ai encore des mains et des pieds vaillants, grâce à Dieu, je ne suis pas complètement impotente. »

Depuis que nous étions pensionnaires, nous étions plus attentifs. Dès qu'on rentrait à la maison, on commençait à houspiller Maman pour ses habitudes, lui reprochant d'être passive, sans désirs à elle. Nous mîmes fin au sempiternel cycle « d'abord les autres et elle en dernier », elle sur les restes des autres. Grand-mère ne décolérait pas, grommelant que

Maman voulait jouer à la princesse, affectait la simplicité pour régner. Les injures pleuvaient. Mais nous, nous tenions absolument à inculquer à Maman le désir de la liberté.

Un jour, on lui joua un bon tour. Quelqu'un avait apporté des fruits. Toutes sortes de fruits de saison, des pêches, des pommes, des abricots, en quantité. À la première bouchée, je dis : « Aucun goût, cette pêche. » Soubodh de renchérir : « Elles sont fibreuses, je préfère les pommes. »

Et on vit ainsi Maman, qui n'avait rien dit, manger les pêches pendant deux jours, rien que les pêches ! On la gronda copieusement, on la força à manger les autres fruits.

Nous étions bien déterminés à ne pas la laisser dans son vide, nous voulions la remplir de tout et n'importe quoi. Et nous étions bien les seuls. Qui avait-elle, à part nous ?

Un jour débarquèrent à la maison de lointains cousins, de la famille du côté de Maman nous dit-on. Quand il se passe des choses indésirables, elles ont beau se passer sous nos yeux, on n'en a pas conscience. Nous n'avions attaché aucune importance à ce détail.

Les cousins restèrent deux jours. À peine étaient-ils partis que toute la maison résonnait de la fureur de Grand-père. Quand ils étaient venus, en arrivant, lui toucher les pieds en signe de respect, il avait dit : « Qui êtes-vous ? » Et nous non plus ne les reconnaissions pas. Quand ils partirent, Grand-père lisait son journal, dehors. Ils vinrent lui toucher les pieds. Mais il ne sembla pas s'en apercevoir, apparemment tout à sa lecture, et il continua à lire.

Le temps qu'ils passent la porte, le journal était fini. « Comment se sont-ils permis de venir ici, ces gens ? Voyez-moi cette audace, on les bafoue et après tout ce qu'ils ont entendu sur leur compte, ils ont le front de remettre les pieds ici, la tête haute ? »

Dès qu'il vit Père, il repartit de plus belle : « Mais voyez-moi cette insolence ! Je n'ai rien dit, par courtoisie, et ils auront pensé que c'est par lâcheté. »

Et entre deux déclarations de la même veine, il glissa : « Et si la belle-fille leur avait écrit ? Renseigne-toi. C'est quand même un monde qu'ils aient eu le culot de venir jusqu'ici, non ? Elle leur écrivait en cachette au début, elle les voyait sans nous en parler. Je ne veux pas dire, mais ces gens-là... Ce Pourohit et son enfant gâté de fils... »

Quand Père entra pour aller voir Grand-mère, Maman s'exprima avec un peu plus de fermeté qu'à l'accoutumée : « Dites à mon beau-père que je ne savais pas que Bittan viendrait nous voir. Je n'ai aucune envie moi-même de les accueillir ici pour qu'ils se fassent insulter. »

Père répondit, la voix plaintive et falote, mais où couvait la colère : « Pourquoi aurait-on envie d'humilier qui que ce soit ? C'est nous qui manquons de respect ? Ce fils chéri de votre Pourohit... »

Mère coupa : « En quoi y a-t-il besoin de remettre ça sur le tapis ? »

Et Grand-mère alors de s'en mêler, fulminant, les yeux qui lançaient des éclairs : « Ah oui ! si tu as le cœur pur comme l'eau du Gange, pourquoi tu te mets dans tous tes états ? Voyez-moi un peu ça ! Tu commences par fauter, et après tu montes sur tes grands chevaux, tu répliques aux aînés, tu nous marches sur la tête ! »

Maman baissa la tête.

Nous étions jeunes. Mais tout de suite, nous voulûmes voler au secours de Maman : « Ne réponds pas Maman », et elle se tut.

Aujourd'hui encore, j'entends la voix de Maman, pleine de feu et de fermeté, alors que Grand-mère, eh bien, Grand-mère avait la voix de la défaite. Vide, lasse.

Nous nous employions constamment à secourir Maman. Elle est faible, c'est un pantin entre leurs mains, elle n'a personne d'autre que nous. Elle est faible à tel point que quand on se bat pour elle, elle bat en retraite et nos cris de guerre se perdent dans le vide, butent contre l'air et se dissolvent aux quatre coins. Par exemple, un jour, Soubodh avait acheté des billets de théâtre, Maman avait mis un sari en soie. Juste au moment de partir, Père l'arrêta d'un mot : « Toi aussi ? Quel besoin ? » Maman s'arrêta net, Soubodh tempêta, mais elle alla changer de sari et repartit à sa cuisine.

Je me souviens de tout. Nous avions vu clair, alors. Mais il y avait aussi des choses que nous ne voyions pas clairement. Le jour où Grand-père avait levé la main sur Soubodh, qui insistait pour me faire inscrire en résidence universitaire. Maman était entrée à ce moment-là dans le salon et, sans doute pour la première et la seule fois de sa vie, elle avait regardé Grand-père droit dans les yeux, et jusqu'à présent, si nous ne fûmes guère épargnés, les coups au moins nous furent épargnés. Grand-père baissa la main, Maman entraîna Soubodh à l'intérieur avec elle, et il m'emmena finalement à ma résidence.

Et puis un jour, nous remarquâmes qu'elle avait des marques bleues sur le bras. On ne savait pas ce qui s'était passé, tout ce qu'on savait c'est que, non, rien, on courait à travers champs, dans le blé monté, Père était au Club avec des personnes qu'on ne connaissait pas et il y avait cette femme. « Père, Maman s'en va. » Père était rentré à la maison. Le soir, nous nous étions endormis en tenant bien serrée la main de Maman. Elle avait enlevé sa montre et l'avait jetée au visage de Père : « Donne-lui ça aussi, tant que tu y es ! » Nous avions demandé un jour à Maman où elle voulait aller, et elle avait répondu : « Nulle part, je ne vous abandonne pas, je ne vais nulle part. »

Elle n'existait tout simplement pas, Maman, si elle nous abandonnait.

9

Chez nous, c'est une coutume séculaire que de se sacrifier pour en retirer un bénéfice. Maman se mettait en peine et se sacrifiait mais c'était pour le bénéfice des autres. Il y avait une longue liste de jeûnes, qu'elle respectait tous sans exception : Ahoi, Tij, Lalhichat, Brihaspat le jeudi, Somvar le lundi, Shivratri, Ganesh Chaturthi, Chyutiya. Pour le bonheur de l'époux, pour le fils, pour les enfants. Le neuvième jour après Dassehra, Maman faisait le jeûne de Karvachauth pour la fortune et la longévité de son mari. Pas d'eau de toute la journée. Le soir, elle échangeait son *karva*, le pot de terre contenant une jeune pousse, avec Tante ou Grand-mère. Elle y avait planté deux ou trois germes et plaçait le tout sur son autel domestique. En sari de mariée, elle faisait la *pouja*, échangeait son *karva*, donnait ses honoraires sacrificiels au brahmane venu officier chez eux et lui faisait envoyer de la nourriture. Puis elle récitait l'histoire consacrée pour cette célébration, que nous accourions écouter avec grand plaisir. C'était l'histoire d'une gentille sœur et de ses sept frères, qui ne supportèrent pas de la voir mourir de faim et de soif pendant ce jeûne. Ils grimpèrent à un arbre et, apercevant derrière le feuillage une lumière qui brillait, dirent à leur sœur : « Regarde, c'est la lune qui est sortie. Sœur, tu peux rompre le jeûne. » Ce qu'elle fit sans chercher plus loin, et la nouvelle arriva alors de sa belle-famille : son mari était mort. Elle se repentit alors, et la divinité lui apparut, lui indiquant la marche à suivre. La sœur pratiqua pendant toute une année des austérités au côté de son mari mort puis fit le jeûne de Karvachauth. Et le mari revint à la vie.

Toujours la même histoire. Que Maman récitait avant de sortir pour voir où en était la lune, et nous avec elle, devant elle ou derrière elle, nous ne pouvions décidément pas lui montrer une fausse lune après cette histoire, n'est-ce pas ? Le mince croissant de lune du quatrième jour, *chauth*, tel un éclat de verre, un petit morceau de bracelet en verre brisé. Ce soir-là, la lune ne se montrait pas avant huit ou neuf heures. Et quand elle se levait, Maman la célébrait rituellement en tournant sept fois tout en versant l'eau de son *karva*, faisant tourner trois fois la lampe à huile de l'*arti* en offrande à la lune, avant de manger les *pouri* qu'elle avait elle-même confectionnées.

Tij aussi, c'était l'occasion pour Maman de célébrer le rite pour Père. Le jour de Tij tombait pendant la mousson, dans la quinzaine claire du dernier mois de la saison des pluies, à la lune montante. Maman se faisait apporter de l'argile du Gange et elle en faisait deux petites statues représentant Shiva et Parvati, puis elle faisait la *pouja*, décorant l'autel de feuilles de bananier, présentant ses offrandes à la divinité, fruits, *pouri* sucrées, *pouri* salées, vermillon, peigne, vernis, sari, etc., avant d'envoyer le tout à Tante. Le lendemain matin, après ses ablutions et sa *pouja*, elle mettait dans la raie de ses cheveux le vermillon préalablement déposé au front de Parvati. Les statuettes, les fruits, toutes les offrandes étaient ensuite dispersées dans les flots du Gange. Après les dons rituels faits au prêtre brahmane, nourriture, divers ingrédients requis pour la *pouja*, vers les dix heures, elle rompait le jeûne, en commençant par un aliment sucré.

Et il y avait aussi le lundi, le jeudi, et Dieu sait quels jeûnes encore. Pour nous ces jours de jeûne et de prières restèrent longtemps des jours festifs. S'asseoir avec une Maman toute parée et toute belle dans la salle de *pouja* qui sentait bon l'encens odorant, se gorger de mets tous plus délicieux les uns que les autres. Par la suite, nous nous sommes interrogés : qui célébrait les rites sacrificiels pour le bonheur et la prospérité de sa femme ? Aujourd'hui encore, la question reste entière.

À la vérité, il y avait tout de même un jeûne que Père respectait scrupuleusement. Celui de Nauratr. C'est-à-dire Navratri. Il le rompait le neuvième jour. Les huit jours précédents, il jeûnait le matin. Silence jusqu'au bain rituel. Il nous appelait, nous ou les domestiques, ou Maman, en frappant dans ses mains. Après quoi, il exprimait par signes ce qu'il voulait qu'on lui apporte – le journal, l'eau pour sa toilette, son nécessaire de rasage. D'avance, Maman me disait, anticipant : « Prends ça, va le lui porter, il va claquer des mains pour le réclamer » – et la seconde suivante, on entendait l'appel ! Face à mon étonnement un jour, elle m'expliqua : « Et qu'est-ce que je pourrais faire d'autre, depuis le temps que je vis avec lui, comme si je ne connaissais pas par cœur ses moindres désirs ! »

De toute la journée, Père ne mangeait rien. Il ne buvait pas non plus d'eau. « La dévotion vous donne une telle force », disait-il ; Père faisait le jeûne comme s'il ne lui en coûtait pas le moins du monde, qu'il n'ait même pas conscience d'avoir faim, ou soif, ou d'être fatigué. C'est dans ces dispositions qu'il travaillait, faisait ses ablutions, sa méditation, sans faire grise mine, sans traîner les pieds.

Le soir, avant même le coucher du soleil, Maman lavait la cuisine à grande eau, faisait sa toilette, enlevait ses sandales et se mettait à préparer le repas du jour de jeûne. Pendant ce temps-là, interdiction formelle pour nous les enfants d'entrer dans la cuisine et de rester à ses côtés. Maman préparait le repas, fait d'aliments rituellement purs. Elle faisait des *roti* de farine de châtaigne, un plat de pommes de terre avec du sel gemme, un plat de légumes verts, une préparation de yoghourt et du halva, du *khir*, des *rabri*, une gâterie ou une autre, sucrées, décorées d'amandes, au beurre, aux raisins, aux épices, au lait épaissi.

La nuit était à peine tombée que Père surgissait d'on ne sait où. Il faisait ses ablutions, sa *pouja*, et allait s'asseoir. Nu, le cordon sacré comme une auréole glorieuse sur sa personne. La petite lampe à huile s'allumait, on l'entendait réciter les textes sacrés, la fumée de l'encens déployait ses volutes jusque dans la cour, et Maman comprenait tout de suite. Elle se levait, disposait les mets dans les coupelles et les ramequins sur un plateau. Le repas était présenté à la divinité, l'*arti* se déroulait, puis Père, abandonnant le plateau à la lumière tremblante de la lampe à huile, partait dans sa chambre. On entendait sa voix sourde qui nous appelait : « Apportez-moi ça ici ! Venez les enfants ! » Maman alors venait poser le plateau de la *pouja* en face de lui et remplissait les coupelles à mesure qu'il les vidait.

Après, nous avions tous la permission de manger.

Mon plus grand plaisir, c'était à la fin de Navratri. Le neuvième et dernier jour, mon jour de gloire. Parfois Père ajoutait à la perfection de cette *pouja* un voyage à Vindhyachal ou Kashi, pour en améliorer les auspices. Mais s'il était à la maison, on servait le repas à une dizaine de filles, avec tous les honneurs. Et j'étais du nombre ! Souobodh n'avait aucun privilège ce jour-là, Grand-mère pouvait dire ce qu'elle voulait.

Maman nous faisait mettre en rang d'oignon, moi et les jeunes filles brahmanes du voisinage invitées pour l'occasion. On nous lavait les pieds et on posait devant nous, dans de grandes coupelles de feuilles, des *pouri* avec du halva, des légumes, des pois chiches. Mais l'instant glorieux arrivait après avoir mangé chacun de ces mets, quand Maman nous mettait au front un *tika* à chacune, l'une après l'autre, et venait toucher nos pieds. Parfaitement ! Maman se baissait pour venir toucher respectueusement nos pieds et nous saluer ! Et glisser dans nos mains une pièce d'argent.

Cela nous semblait fabuleux, de nous faire toucher les pieds. Nous étions gênées, gloussantes, j'avais le fou rire. Comme si c'était pour jouer. Maman touchait nos pieds et nous gloussions de rire.

Une année, Tante était venue pour Navratri. Quand on mit en rang les jeunes filles, il y eut un instant de panique : il manquait une jeune fille. Maman envoya en hâte Bhondou prendre son vélo et ramener une jeune fille.

De notre côté, Soubodh et moi, nous refîmes le compte : il était juste. Les grands se seraient-ils trompés ? « Il y a le compte, Maman, regarde, une deux trois, j'en ai compté neuf. »

« Petite sotte, me fit Tante en riant, tu te comptes toi aussi ! Mais tu n'es plus une jeune fille pure, tu ne peux pas te compter dans les Déesses, Dieu tout-puissant ! »

Grand-mère sur son divan se pâmait de rire… « Approche un peu, petite princesse, viens voir par ici, notre vieille petite princesse, pour qui elle se prend, tu te crois peut-être sainte et pure, des fois ? »

Et tous de s'esclaffer.

Moi, je comprenais certaines choses, d'autres pas. Mais je brûlais intérieurement. Je baissai les yeux devant tout le monde.

Maman dit alors à Tante : « Qu'est-ce que vous faites Bibi-ji, laissez-la rester enfant. » Et elle me poussa légèrement pour me faire aligner avec les autres : « Toi, tu es la première jeune fille. Et pourquoi tu ne mangerais pas ? Allez, avance un peu tes pieds ! »

C'était comme si Maman n'avait pas pu m'empêcher de tomber dans le trou mais m'en avait aussitôt sortie en me tendant une échelle, et m'avait remise sur mes pieds.

L'enfance me quittait. Mais Maman la rattrapait par les épaules et la ramenait à moi.

Peu avant cet épisode, en fait, j'étais allée gronder Hardeyi : « Regarde un peu comment tu as repassé ma robe, c'est tout brûlé derrière, regarde-moi ça ! » Hardeyi s'en remit à Maman, qui m'expliqua simplement que désormais moi aussi je pouvais être mère.

Celle qui peut être mère, comment pourrait-elle être impure ? Maman m'avait sauvée du déshonneur.

Et par la suite, jamais elle ne me demanda non plus d'éviter la cuisine à certains jours du mois, ni la pièce de l'autel domestique, ni la salle où nous prenions en famille nos repas.

Ainsi s'écoulait notre enfance. Maintes chutes dans l'abîme, maints sauvetages in extremis, grâce à l'échelle que me jetait Maman. Chez nous, les filles perdent d'habitude leur enfance tout d'un coup, mais pour moi, si l'enfance me quitta par la force des choses, ce ne fut ni aussi brutalement ni aussi facilement.

L'échelle permettait à l'enfance de remonter, encore et encore. Et l'échelle est donc d'une importance cruciale, dans mon enfance. L'échelle, et le trou.

Les trous, où Maman ne réussissait pas à m'empêcher de tomber, avec tous ces gens autour de moi qui ne pensaient qu'à m'y pousser, mais dont elle me tirait infatigablement, car elle arrivait toujours à temps pour me jeter l'échelle et me relever, encore trébuchante.

10

Grand-père, qui était un grand propriétaire, que Père évitait de son mieux tant il le craignait, lui touchant respectueusement les pieds ; Grand-mère, qui était la belle-mère de Maman et resta toujours la belle-fille de sa belle-mère ; Père, qui était le roi, adoré par Grand-mère comme la pupille de ses yeux, érigé sur un véritable piédestal, adulé comme aucune amante n'eût pu l'aduler ; Maman, muette, le pot sans fond (et comme lui instable) parce qu'elle formait ses opinions à mesure des réalités qui s'offraient à son regard dans l'instant plutôt qu'en s'inspirant d'idées préconçues. C'était là la distribution composite des rôles qui modelèrent notre enfance et en furent les divinités protectrices.

La chose la plus importante de cette enfance, et qui resta gravée en lettres bien lisibles, c'est que nous étions d'accord, tous les deux ensemble, déterminés à sauver Maman, à nous évader nous-mêmes de cette maison et à en extirper Maman.

Nous nous installions dans la cour avec Maman pour donner à manger aux paons qui volaient, nous lui demandions de la farine tamisée quand elle en avait pour en saupoudrer les fourmilières, dont nous observions ensuite la population en effervescence. Nous répliquions de sa part aux sarcasmes et aux piques dont chacun la comblait. Nous allions à des sorties futiles et variées. Nous allions chez mes amies à frères sans en parler à personne, en sortant par la porte de derrière, Maman seule étant au courant. Nous vivions tous les trois dans la même pièce, nous partagions tout.

Mais après la quatrième, comme notre école ne prenait pas les garçons, Soubodh partit pour une autre ville, et moi, je continuai à prendre mon rickshaw rouge, tous les matins, pour aller seule à Sunny Side Convent. C'étaient des bonnes sœurs qui enseignaient, originaires soit de l'Inde du Sud, soit d'Irlande, et les Irlandaises avaient le visage rouge. On chantait des chants de Noël et la mère supérieure, Marie, nous accompagnait au piano.

Silent night, holy night
All is calm, all is bright

Et aussi :

The first Noel
The angels did sing

Le premier cours du matin était le cours de morale. Tous les jours. Il y avait même un examen pour ce cours, mais la note ne comptait pas dans la moyenne générale. Après ce cours, venait celui d'histoire sainte, avec les récits de Jésus et des grands saints occidentaux, dont la lecture était censée nous animer de bons sentiments et nous dicter le bon comportement tout au long de la journée.

De temps en temps, le Père de la paroisse venait nous faire une petite conférence. Tous les élèves venaient alors s'installer dans le grand hall et nous nous réjouissions de sauter ainsi deux ou trois cours.

Le Père nous avait dit : « Ô jeunes filles, le Seigneur vous a créées belles comme la pomme ronde, rouge, luisante. Mais souvenez-vous qu'il faut protéger votre beauté, ne laissez personne y porter la main. Qu'on morde la pomme et c'en est fini de sa beauté. »

C'est-à-dire que nous étions de purs objets de contemplation.

Comme si personne ne lui avait expliqué que les pommes n'étaient pas faites pour être regardées mais pour être mangées. Qu'elles étaient douces et sucrées. Que si on les laissait posées sur un plateau elles se desséchaient et se ratatinaient, avant qu'un ver finisse par en venir à bout de l'intérieur.

C'est-à-dire, pour le réinterpréter négativement, que nous étions des choses à manger.

La leçon de la pomme nous fut ainsi inculquée dès notre plus tendre enfance. Tu es pomme, douce et sucrée, fais attention, bien attention, sauve-toi, méfie-toi des goûteurs de pomme et des coupeurs de pomme, attention.

Quant à la loi de la nature, qu'un jour la pomme est coupée et mangée, là-dessus grand silence, pesant comme un cadenas.

Il y avait aussi une bibliothèque dans l'école, où l'on ne trouvait que des livres en anglais. D'abord Enid Blyton. Ensuite des romans d'amour. La sœur bibliothécaire nous prodiguait volontiers ses conseils : « Prends celui-ci, prends celui-là. Ce roman de Barbara Cartland, c'est tellement merveilleux. » L'héroïne est une jeune fille merveilleusement belle de dix-sept, dix-huit ans, qui vient de finir ses études dans un couvent et fait en tremblant ses premiers pas dehors, dans le vaste monde. Le héros est nettement plus âgé qu'elle et c'est quelqu'un de très riche, comte, baron ou duc. Qui a connu une vie tumultueuse et mille aventures orageuses. Qui a encaissé revers et déceptions, coups durs, qui ne croit plus à rien. Il a connu des femmes cruelles, a été trompé, bafoué, il a vu à l'œuvre les pièges de l'injustice et de la cupidité, il a fait toutes les expériences, il connaît toutes les illusions de ce monde. Et à présent il est devenu dur et cynique comme un Casanova qui ne pense qu'à son plaisir, n'a confiance en personne et passe sa vie masqué sous les sourires amers et les remarques caustiques. Il a séduit et embrassé d'innombrables beautés, papillonnant de l'une à l'autre comme un vagabond de l'amour. Et tout à coup c'est l'entrée en scène, *badabam*, de l'innocente ingénue, douce comme une fleur, ignorante de ce monde, pure et authentique, un peu simplette même, notre délicieuse héroïne. Qui éclate en sanglots, cédant aux durs assauts du héros, effarouchée, complètement recroquevillée dans sa pudeur. Et alors, il la prend dans ses bras, et se met à l'embrasser longuement, quatre pages durant. Au contact de la dure virilité du héros, l'héroïne découvre la douceur de sa féminité. La flamme du héros s'enlace à elle avec virilité, la prend et l'enveloppe, et l'héroïne, prise de vertige, la tête en feu, se noie dans l'extase. Le héros desserre son étreinte et elle se liquéfie, tombant comme une liane à ses pieds. Mais le héros alors tombe à ses pieds lui-même, saisit de la main le bord de sa robe qui va jusqu'à terre et le porte à ses lèvres, puis la regarde intensément avec des yeux noyés d'émotion et dit d'une voix rauque : « *I love you, only you.* Vous m'avez rendu à l'espoir, à la vie, pouvez-vous accepter ce pécheur ? » Et la voix de l'héroïne à son tour se met à trembler de passion : « Oh, *I love you too* », chuchote-t-elle au bord de l'inconscience. Et tous deux se perdent dans l'infini de l'amour spirituel.

Telle était la littérature de notre école, telles étaient aussi les lectures des bonnes sœurs.

Mais à la bibliothèque de Soubodh, il y avait les classiques anglais – Dickens, les sœurs Brontë, Thomas Hardy, George Eliot. C'est lui, Soubodh, qui avait pris l'habitude de m'apporter ces livres. Je les lisais et les décors que j'avais imaginés à partir de mes lectures d'enfance, derrière les mots de village, montagne, plaine, devinrent réalité, bien des années plus tard, quand je pus aller en Angleterre. J'étais ivre d'excitation, le souffle coupé, le cœur battant la chamade – c'était cela la lande, la prairie, les bruyères, le lierre et les jonquilles, que je connaissais depuis l'enfance. C'était comme si tous mes souvenirs prenaient forme.

Dans les lacs de chez nous, il y avait bien les lotus en fleur, que j'aimais beaucoup, et aussi les larges feuillages des melons et des concombres qui s'étalaient sur le sable. Mais je n'y trouvais rien de romantique. Avec l'Angleterre, j'avais ce lien ancien, spirituel, qui m'avait fait goûter au nectar du romantisme dès mon adolescence.

À présent, je me demande en quoi je me reconnaissais, dans les prairies et les bruyères, ou dans les lotus et les melons ? Dans les deux ? Mais je découvris aussi à quel point tout ce qui est fait et pétri de la terre de l'Angleterre pouvait m'être proche, être mien. Et tous ces sentiments, toutes ces émotions, c'est grâce à Soubodh que je les ai connus.

Quand il revenait à la maison, Maman ne se sentait plus de joie – raconte à ta sœur, elle aussi il faut qu'elle sache.

Soubodh était vraiment devenu savant. Les visiteurs de Grand-père eux-mêmes l'appelaient pour écouter ce qu'il avait à raconter. Il pouvait discuter de tout. La culture britannique, le mode de vie dans les grandes villes, la politique, tout ce qui lui arrivait, il participait à quantité de débats.

Père aussi était très impressionné par les connaissances de Soubodh, particulièrement par son anglais. « Aide-la aussi à améliorer son anglais », lui demandait-il, car il voulait que je réussisse à parler cette langue avec aisance et naturel. Si je tenais absolument à parler. Et Soubodh se prit au jeu de m'enseigner l'anglais.

Je dois admettre que j'aurais alors pu gagner la palme au concours de l'hybridation linguistique. Je ne pouvais quasiment pas ouvrir la bouche sans mélanger les langues. Avec les mots aussi, c'était le même grand écart qu'entre les landes de bruyère et les melons ! Anglais et hindi ! Dans une phrase entière d'anglais il fallait que je mette au moins un mot hindi : « I was saying *ki...* », « je disais *que...* ». Et si je parlais hindi, j'y ajoutais toujours une pincée d'anglais : « Vah *before* a gayi thi, to main taiyar... », « *before* qu'elle arrive j'étais prête... ».

Soubodh commença à critiquer ce mélange délicieux.

Et ce furent des moments passionnants quand il se mit en devoir de me faire apprendre l'anglais, que je parle ou non un bon hindi. « Dehors, hors des quatre murs de la maison, le monde a fait un bond en avant. Il faut que tu sois à la hauteur. Toi aussi va de l'avant. »

À table, dès que j'ouvrais la bouche pour lui demander de me passer le dal, c'est-à-dire les lentilles, il m'interrompait : « En quelle langue, Madame ? »

Le plus souvent j'obtempérais, traduisant en anglais, mais il m'arrivait aussi de me buter et de refuser de parler.

Alors il se plaignait à Maman : « C'est toi qui me dis de lui parler en anglais et regarde le résultat ! », et Maman alors me raisonnait : « Parle-lui, c'est pour ton bien qu'il te fait des remarques » et moi j'étais furieuse de voir que tout le monde, moi y compris, oubliait que c'était moi l'aînée, de quel droit me faisait-il la leçon ?

Soubodh était parti pour la grande ville, où il avait pour professeurs des Anglais ; il avait découvert quantités de choses, avait fait connaissance avec les aspects libérés de la culture britannique, par exemple les bals, les « parties dansantes ». Il m'avait montré les photos. Et à Maman. À personne d'autre. Il avait de plus en plus de prestige à la maison, bien au-delà des limites artificielles que son âge aurait dû imposer. Il pouvait s'adresser même à Père et à Grand-père en les regardant en face.

Tout le monde mettait en lui de grands espoirs, tout le monde croyait en lui, et il avait lui-même quelque chose en lui, cette confiance en soi, qui l'empêchait de plier sous le poids des espérances collectives, qui au contraire lui insufflait de l'intérieur ces mêmes espérances, et lui donnait des ailes pour s'envoler toujours plus haut, toujours plus loin, magnifiquement. Tous les ans il remportait le prix d'excellence, nous revenait chargé de tous les lauriers, y compris dans les sports. Un jour, il reçut une bourse pour aller à l'étranger continuer ses études.

11

Nous savions tous que Soubodh caressait ce rêve d'aller étudier à l'étranger, depuis qu'il était en tête de sa classe. Cette année-là, il était retourné dans son *collège* un peu avant la fin des vacances pour préparer son dossier de demande de bourse avec l'aide de certains de ses mentors. À la maison aussi il passait des heures à écouter Grand-père lui raconter ses souvenirs du combat pour l'Indépendance et à tout noter dans son journal.

Il alla passer l'examen dans une ville, il partit pour une audition dans une autre ville. Père fit réciter des prières pour son succès et, les jours où il attendait anxieusement l'arrivée du courrier qui devait apporter les résultats, moi, je refusais d'avaler la moindre bouchée avant l'arrivée du courrier.

Et voilà comment je me surpris moi-même à « faire jeûne ». Je devenais si impatiente moi aussi en voyant Soubodh, je n'arrêtais pas de me dire, pourvu qu'il soit reçu, mon Dieu faites qu'il soit reçu. À force de me répéter cette litanie, voilà qu'un matin où j'étais en train de porter à ma bouche un bout de *roti* je m'arrêtai net. Si je peux résister, il réussira. C'est ainsi que commença mon jeûne, et il dura jusqu'à l'arrivée des résultats par la poste. Prétendant que je faisais un « régime », que je n'arrivais pas à digérer ce que je mangeais et que pendant quelques jours je ne prendrais rien jusqu'au déjeuner, je coupai court aux objurgations de Maman qui insistait pour que je ne reste pas le ventre vide.

Une autre fois, Père avait fait une remarque à Maman ; nous n'avions pas entendu ce qu'il lui avait dit exactement, Maman n'avait rien laissé paraître et retourna à sa routine quotidienne, mais nous comprenions vaguement que quelque chose allait de travers et nous nous faisions du souci. Le soir nous entendîmes dans un demi-sommeil la voix de Maman, dans la chambre de Père, et cette voix nous parut pleine d'angoisse et de souffrance. On se réveilla mutuellement pour de bon et on appela Maman à grands cris, moi d'abord puis Soubodh : « Maman, on n'arrive pas à dormir ! » Père répondit : « Dormez, Maman va venir vous voir dès qu'elle aura fini de me masser la tête. » Mais c'était vrai, nous ne parvenions pas à trouver le sommeil et continuâmes à appeler Maman à cor et à cri, acharnés à sauver Maman de Père, son supposé tortionnaire.

À un moment dans la nuit, j'ouvris les yeux et vis Maman assise à la petite table, qui écrivait à la lumière de la lampe de bureau. Nous poussant du coude l'un l'autre, nous regardions la scène sans mot dire. Elle va se suicider, elle fait ses préparatifs pour s'enfuir… Toutes sortes d'idées folles nous passaient par la tête. Alors on se mit à l'appeler.

Et un beau jour, comme Maman avait fait sa *pouja* et allumé la lampe à huile, une illumination traversa mon esprit égaré : l'« ascèse », résister, tenir debout sur un pied, tenir jusqu'à ce que s'éteigne la flamme de la lampe, et tout s'arrangera pour Maman. Et je m'installai dans la posture. Si je restais là dans la salle de prière, tout le monde allait se poser des questions et donc je me mis à sauter à cloche-pied, d'une pièce à l'autre. Je jetais un coup d'œil à chaque allée et venue pour vérifier si la lampe brûlait encore, si mon « temps » d'ascèse était terminé ou pas encore.

Je n'avais rien dit même à Soubodh. Il s'esclaffa sans rien comprendre : « Qu'est-ce que tu fabriques Souni ?

– J'essaie de voir combien de temps je peux rester en équilibre sur un seul pied », répondis-je.

Il devait avoir la tête ailleurs car il ne manifesta pas le moindre intérêt et sortit sans plus faire attention à moi. Après tout, il était plus jeune que moi, et devait être encore plus bête que moi !

Ce fut l'affaire de quelques minutes, nombreuses peut-être, mais cela me parut durer des heures, à « tenir » ainsi. Lassée, je tirai la mèche et la noyai d'huile. Mais cela me resta sur le cœur et je rallumai la lampe. Enfin arriva le moment où je me retrouvai les deux pieds sur le sol. Et juste à ce moment-là, je vis Père qui prenait quelque chose des mains de Maman et l'enlaçait par les épaules : j'interprétai immédiatement ce rapprochement comme un effet de mon « sacrifice ».

L'effet du sacrifice, il existait bien. Sur moi. De Maman. De toutes les mères qui sur des générations et des générations s'étaient sacrifiées pour les autres, avaient tout « enduré », avaient « tenu », pour leur assurer le succès, pour qui la réussite des autres était leur réussite personnelle. Dont l'air expiré pendant les mille gestes de l'ascèse quotidienne de leur vie s'était mêlé à l'air que j'inspirais. Ce souffle de patience et d'endurance que je m'obstinais à vouloir rejeter à chaque expiration et que je retrouvais à chaque inspiration.

Maman, qui n'existait que dans le don, était entrée en moi aussi. Mais moi qui m'étais battue pour être dans le prendre, je ne pourrais jamais être Maman. C'est un talent en voie de disparition. Même si j'en étais capable, je n'en voudrais pas. Je ne veux pas être Maman. Je me battrai avec la dernière énergie pour ne pas être elle. Je veux l'expulser de moi, secouer tout ça. Je veux me débarrasser de tout ce côté sacrificiel. Ça ne rime à rien, c'est mauvais. Il faut que j'arrête tout ça.

Et pourtant je me prosterne devant elle, Maman, celle qui n'est pas mon idéal, celle avec qui je me bats, celle que je ne veux pas devenir.

Dans mon impatience, je battais des ailes, m'ébrouais comme un oiseau en cage. Ne pas devenir Maman, ne pas devenir une prisonnière, ne pas me rabougrir, ne pas me laisser réduire à moins que rien.

Maman m'avait montré dans le ciel un oiseau qui volait avec détermination, tendu dans son effort : « Regarde-le. » Dans le bleu du ciel, l'oiseau battait des ailes en un point unique, immobile, on aurait dit que le ciel entier lui appartenait. Mais à quoi bon ? À quoi sert un ciel vide, sans limites ?

Et je m'incline devant cette « faiblesse insondable », qui m'a assuré le refuge et m'a donné la force. Qui a défait mes chaînes, laissé flamber le feu en moi, m'a laissée trouver mon rythme. C'est sa faiblesse incommensurable qui m'a donné la combativité.

La force qui s'égare dans l'immensité du ciel est vaine, mais la faiblesse qui peut aller jusqu'à l'infini génère la force : je n'en savais rien alors.

C'est quand je me retrouvai à l'air libre et que je sentis le vent du large me couper le souffle que je pris conscience de l'accablement qui va avec la liberté, combien est difficile la liberté.

Mais cela aussi, c'est bien après.

D'abord il y eut mes jeûnes et les « sacrifices » qui firent retrouver à Père la tendresse pour Maman et qui firent que la poste apporta à Soubodh le message de son succès.

Que le martyre qu'on s'inflige soit une source de force, que le sacrifice soit la voie royale menant à ce qu'on veut obtenir, je croyais à ces choses, qui s'étaient petit à petit, quasi innocemment, insinuées en moi.

Soubodh débarqua en Angleterre, un fil était à présent tendu entre la maison et Londres. Le désir d'évasion se mit à danser sur ce fil avec encore plus d'impatience.

Que de disputes résultèrent de ce départ ! Et les disputes, elles n'étaient pas seulement verbales et ouvertes.

À peine étais-je en première ou en seconde que Soubodh et moi, nous nous mîmes en tête d'obtenir mon inscription à moi aussi dans une bonne école, dans une grande ville. Grand-père et Grand-mère firent tomber leur arrêt d'une seule voix : non. Père fut pris de court et Maman demanda : « Est-ce bien nécessaire ? De quoi tu manques ici ?

– Alors pourquoi vous avez envoyé Soubodh à l'étranger ? » Le fait qu'elle ne me soutienne pas me coupait les jambes.

« Je ne l'aurais pas laissé partir. C'est la décision de ton père et de ton grand-père. L'école a beau être très très bien, rien ne remplace la maison. On ne mange pas comme il faut, regarde un peu comment il est, la peau sur les os, on lui compte les côtes. »

Je ne me rendais pas compte que je perdais tous mes moyens quand Maman ne me soutenait pas.

Soubodh se fit envoyer le dossier d'inscription par la poste. Très bonne école, à la montagne, dirigée par des religieuses. « Maman, signe, inscrivons-la, on verra bien après si elle y va ou non. »

Maman nous lança un regard désolé et se pencha pour apposer sa signature.

Grand-père et Grand-mère en firent une maladie – qu'est-ce qu'il ne fallait pas voir dans cette maison. Père sermonnait Maman : « Serre un peu la vis aux enfants. Interdis-leur. » Soubodh avait des accès de fureur. Maman se taisait. Et moi, j'étais quelque part en suspens, accrochée à l'échelle, je n'étais pas tombée dans le trou, je n'étais pas sur la terre ferme en sécurité.

Sur ces entrefaites, Père fit organiser une récitation de textes sacrés, au nom de Baba Touriyatit, pour la réussite et le bonheur de notre vie à chacun. On avait dégagé dans la cour un espace propre qu'on avait purifié avec un enduit de bouse et d'argile. On y édifia un petit socle de farine où l'on plaça, au centre, un petit vase de cuivre plein d'eau ; on y mit de jeunes pousses de manguier, et sur les pousses une coupelle, pleine de riz, sur laquelle, tout en haut, on alluma une petite lampe à huile. Maman prépara un *panjiri* avec les cinq fruits secs dans un mélange de farine et de sucre brut, prépara l'eau rituelle pour le bain des pieds, un mélange de sucre, basilic, cinq fruits secs, miel, eau du Gange, lait et yoghourt frais de vache, puis on alluma le feu sacrificiel. Le pandit se fit donner les sommes appropriées, pour ceci, pour cela, nous fit tourner le visage vers l'Est et récita les textes supposés assurer la protection de la vérité et de la religion.

Ce qui fut le cas !

Je ne pus pas partir – la convocation nous arriva après la date de l'audition. Je n'eus pas l'occasion de monter au créneau. *Swaha !*

Comme on dit en sanskrit en conclusion des récits édifiants… !

Et c'est ainsi que se forgent les superstitions.

12

Grand-mère nous adorait, mais nos idées nouvelles avaient fini par lui porter sur les nerfs. Que Soubodh se permette de répondre, que je tournicote à gauche et à droite, que j'entretienne des rêves de grand départ. Elle se mit à accuser Maman de nous monter la tête en cachette, elle enguirlanda Soubodh pour avoir répondu du tac au tac à Grand-père.

Soubodh avait en effet osé dire à Grand-père que les gens comme lui, les donneurs de leçons, les apôtres du « tout doit rester entre nous, personne ne doit savoir ce qui se passe dans la famille », en fait c'étaient ceux qui passaient leur temps à épier les autres, toujours à l'affût de ce qui pouvait se passer chez les autres.

Et il est vrai que Grand-père était d'une curiosité quelque peu excessive pour les affaires des autres, qui le passionnaient. On en était tous au courant, vu sa voix de stentor. Et ce seraient les femmes de mauvaise vie qui se délectent à ce genre de ragots ! Dans quel guêpier s'était fourré le père de mon amie, poursuivi en justice, quel genre de vie scandaleuse menait tel professeur de Soubodh, tous les ragots les plus absurdes y passaient.

Et si Père était présent, Maman et le fils pourri gâté d'un certain Pourohit passaient aussi sur la sellette. La chose n'était pas dite clairement mais le ton était tel, si lourd de secret, que nous dressions la tête et tournions nos regards vers Maman.

Grand-père avait une façon bien à lui de lancer ses jugements de caste : « Il est comme ça. Que voulez-vous, il ne faut pas s'étonner, après tout c'est un Kayasth », « il est comme ça, mes bons amis, c'est le Panjabi tout craché ». Et même s'il était d'humeur à faire des compliments, il fallait qu'il s'y glisse quelque allusion à la caste et à la secte : « C'est peut-être un musulman mais il est loyal comme pas deux », ou bien « rendez-vous compte, c'est un Banya, on peut toujours chercher, il n'y en a pas un autre comme lui dans toute la caste ».

Les noms étaient aussi pour lui un grand sujet de plaisanterie : « Gupta, c'est bien des *kutta*, des chiens. Shrivastav, en fait (*vastav men*) c'est des Siri, des chefs de clans musulmans, Khanna, c'est simple, de la merde, *pakhanna*. Saksena, l'armée (*sena*) du soupçon (*shak*) au complet, quant à Pandit, *p* pour pharisien, le reste pour hypocrisie. »

Et dans la foulée le Pourohit lubrique et son fils revenaient sur le tapis.

Un jour nous fîmes l'erreur de demander à Grand-mère pourquoi on ne la voyait pas respecter les jours de jeûne ni célébrer de *pouja* comme Maman.

« Eh ma mignonne, en quoi j'ai besoin de tout ça moi ? Du moment que j'ai mon Seigneur en face de moi pourquoi j'irais faire une *pouja* à des dieux en pierre ? C'était dans mon destin d'avoir la chance de pouvoir servir mon Seigneur. »

Et elle ne put s'empêcher de s'en prendre encore à Maman : « Le Seigneur même se détourne de certaines façons de le servir. »

Et balançant la tête de gauche à droite, les yeux quasi exorbités, elle me lâcha : « Il doit y avoir quelque chose de suspect chez une personne, si notre Seigneur se détourne d'elle pour chercher l'adoration de quelqu'un d'autre. »

On l'avait bien vu, nous aussi, le cardigan tricoté par Maman.

Et pourtant, nous n'avions jamais vu Père mal se comporter avec Maman. Il lui parlait très peu. Même quand il s'agissait de sortir avec nous, deux mots lui suffisaient pour l'arrêter, deux mots prononcés d'une voix très douce, il ne lui donnait jamais aucun ordre. Comment aurions-nous pu lui en vouloir quand Maman elle-même battait en retraite dès qu'elle le voyait froncer le sourcil ? Père, lui, quand il avait quelque chose à lui faire faire, un bouton à coudre, une chemise à repriser, n'avait qu'à dire : « Il s'est décousu », « c'est déchiré ».

La vérité, c'est que Père n'interférait pas dans les affaires domestiques. Et il était fort peu présent à la maison, même quand il était là. On le voyait apparaître s'il devait parler à Grand-mère, sinon on ne savait même pas s'il était là ou non. Qu'il soit dehors ou dedans, nous n'en avions aucune idée, car il n'était pas du genre de Grand-père, à faire savoir à tous où il était. Au moment des repas, Maman nous disait d'aller voir s'il était là, et nous allions voir s'il était là. Il lui arrivait de rentrer tard le soir et Maman faisait réchauffer les plats pour lui. Il lui arrivait aussi de dire qu'il avait déjà dîné.

Non, nous ne l'avons jamais vu crier, frapper, menacer. Il était toujours très occupé. Quand Maman se mit à avoir mal au dos et fut contrainte de prendre deux ou trois minutes pour se redresser, il lui demandait : « Qu'est-ce que tu as ? » en s'en allant sans attendre la réponse. Sans doute ne pouvait-il même pas concevoir qu'elle ait quelque chose. Pour lui, la maladie, c'était si le corps donnait des signes d'infection ou de blessure, comme des abcès, du pus, du sang, la lèpre. Mais ce qu'avait Maman, cela ne s'exprimait pas éloquemment sous forme de fièvre, de rhume, de nez qui coule, c'était quelque chose d'interne, aussi difficile à nommer qu'à identifier.

Ou bien, la maladie, c'était ce qu'avait Grand-mère, qui la faisait crier, lui mettait les membres à la torture tant que Père ne lui avait pas fait son massage.

Après – ce nœud de l'après et de l'avant que nous ne pouvions pas démêler –, le dos de Maman se voûta. Mais c'était la vieillesse, cette maladie en soi.

Père avait commencé à collectionner divers éléments du confort moderne, pour Maman, et Grand-père et Grand-mère devinrent des inconditionnels des cubes de glace produits par le réfrigérateur. Et pourtant Maman n'appréciait que les tâches qui l'obligeaient à se baisser. Trouvait-elle un répit aux travaux routiniers, le thé et les collations pour toute la journée, les petits déjeuners et les jus variés, qu'il y avait toujours les *papad* à rouler, les *bari** à mettre à sécher, les *atchar* à préparer et les épices à broyer. Il y avait la pâte de pétales de rose à faire, ou la marmelade de myrobolan. Grâce aux cours de cuisine du club des dames, il y avait aussi les confitures, les gelées, les sauces à cuire et à conserver hermétiquement dans des bocaux. À se demander s'il n'y avait rien d'autre à faire dans la vie que cuisiner, cuisiner, cuisiner.

Et nous lui posions la question. Alors elle s'irritait : « Vous ne pouvez pas comprendre que c'est ça qui me plaît ? C'est la maison, c'est pour tout le monde et tout le monde apprécie. Si je ne m'occupe pas à cuisiner, qu'est-ce que vous voulez que je fasse ? Que j'aille au *college* ou à l'université ? »

Si elle ne s'occupait pas à cuisiner, Maman s'installait dans la cour et mettait la laine en écheveaux, puis elle la lavait, puis elle tricotait. Et là encore, pliée en deux.

Grand-mère ne pouvait pas admettre que nous nous inquiétions pour Maman. Elle se considérait sans doute comme le seul objet de sollicitude, elle qui était âgée, adorable, misérable, et nous qui n'avions d'yeux que pour Maman, prenions toujours la défense de Maman contre elle !

Elle devait être de plus en plus aigrie et sa rudesse allait croissant. J'avais insisté pour prendre la filière biologie, déclarant que je voulais devenir médecin, et Maman avait signé mon dossier d'inscription. J'avais fini mes études secondaires, option scientifique.

« Et la voilà qui se met en tête de faire médecine avec des notes à peine au-dessus de la moyenne ! 55 sur 100 ! Tout le monde dit que dans ces matières on peut avoir 100 sur 100, mais je peux toujours causer, qui m'écoute, la vieille est complètement déphasée après tout. Quand la mère elle-même pousse la fille à la catastrophe… » grommelait Grand-mère. « Moi aussi je les connais les doctoresses. Le beau succès, elle n'a toujours pas réussi à se marier, ne me demandez pas de dire ce que j'en pense devant les enfants, la mère la pousse à n'en faire qu'à sa tête, tout comme elle. Avec la bénédiction du Pourohit, en plus. Ah mon Dieu mon Dieu, délivre-moi de cet enfer… »

Il y avait une tante, celle à qui je n'ai jamais pardonné ce qu'elle avait fait pour la fête de Navratri cette année-là. Elle était toujours du même avis que Grand-mère. Un jour que nous passions en revue les femmes célèbres – Madame Curie, Sarojini Naidu, Virginia Woolf – elle se mit à ricaner : « Oui, oui, c'est ça, tu vas être la prochaine Madame Curie, hein, comme ça on pourra être fiers de toi dans la famille, on regardera tout le monde de plus haut, que notre fille est une personne célèbre, mais tu crois que la recette pour être Madame Curie c'est de baguenauder dans le jardin à longueur de jour ? »

Elle ne se fatiguait pas de répéter qu'on peut être quelqu'un tout aussi bien en restant à son fourneau, ses bûches, sa farine. C'était juste une excuse qu'on se trouvait pour ne pas avoir pu s'épanouir.

Un jour que Soubodh nous racontait quel accueil la foule avait fait au gros Ganpat Rao, je lui demandai : « Qui c'est celui-là ?

— Ah là là, Souni, tu ne sais même pas le nom du ministre en chef de ton État ? »

Et Grand-mère de ricaner : « Et est-ce qu'il y a besoin de savoir ça pour être docteur ? »

Tante alors me lança : « Tu crois être la seule à vouloir être quelqu'un ? Moi aussi je voulais faire des études, et tous ces rêves sont partis en fumée devant mon fourneau. Quelle femme peut échapper au fourneau, études ou pas ? »

Où étaient passées ses grandes proclamations sur la possibilité d'être quelqu'un dans n'importe quel environnement, je ne lui demandai pas. J'avais honte, et je me souviens d'être restée silencieuse. Le découragement devant la perspective du fourneau et l'ignorance du nom de notre ministre en chef étaient les deux faces de la même médaille. Là-dessus, nouvelle râlante de Grand-père : « Ah ça mais, qui a encore emporté le journal ? »

Pourtant, Tante n'avait pas un mauvais fond. Et elle nous aimait vraiment. Elle me brodait des saris, elle faisait des *kourta-pajama** pour Soubodh. Quand elle venait chez nous, elle nous faisait des beignets de coriandre. Un délice.

Quand elle nous rendait visite, Père et Maman restaient jusque tard le soir à veiller en sa compagnie. Papa emmenait tout le monde en rickshaw tantôt au bazar, tantôt au temple, tantôt au bord de la rivière, tantôt au Club. Tante était rieuse, tout l'amusait et elle éclatait de rire à toute occasion. Même quand Grand-mère se moquait d'une idée baroque que j'avais.

Oncle était falot à côté de Tante, physiquement et mentalement. C'est elle qui racontait les histoires, lui coupant la parole et le critiquant vertement. Oncle, le malheureux, pouvait à peine commencer une phrase que Tante la récupérait pour finir l'histoire à sa place. Il n'avait droit qu'aux virgules et aux points, ponctuant en quelque sorte de la voix les histoires que racontait Tante – c'est bien ce que (et Tante enchaînait)... d'ailleurs (et Tante prenait le relais)... figurez-vous on dit que (et Tante continuait). Si d'aventure il réussissait à en placer une, Tante déviait la conversation pour en revenir à ce qu'elle voulait raconter, sans oublier de le critiquer.

Par exemple, Oncle parlait de quelqu'un, et Tante s'emballait : « Ne me parlez pas de cette créature. Pas la moindre trace de son chagrin quand on le voit, la figure du bonheur. Et pas des malheurs ordinaires ! Un fils en prison, un autre fils dans l'autre monde, sa femme aussi disparue. Mais toujours le sourire aux lèvres, comme pour nous narguer avec sa grande forme. Toujours la parole onctueuse. Malheureux pour les malheurs des autres, heureux pour les bonheurs des autres. Tant que sa mère était en vie, encore il avait quelqu'un avec lui ; d'accord elle n'était guère qu'un sac de pommes de terre sur le lit, mais enfin il pouvait au moins parler à quelqu'un, dire deux ou trois fois par jour : "Mère, chère Mère." Maintenant qu'elle est partie, comment voulez-vous qu'il fasse, dans la maison vide ? C'est bien normal qu'il ait la langue collée au palais ! S'il avait quelqu'un à qui raconter ses malheurs encore… »

Et Oncle soulignait la tirade de brèves ponctuations : « Figurez-vous »… « et d'ailleurs »… « de toute façon »… « que dire »… « c'est que »… « tout juste »…

Quand soudain Tante réorientait les choses : « Et il y a aussi celui-là, au moindre petit problème, le voilà qui claironne tout dans toute la ville. Moi je vous le dis, il y a des choses qu'il faut garder pour soi, les histoires de famille c'est pas pour exposer à tout le monde, tout le quartier va se moquer et il n'y a jamais personne pour vous aider dans les malheurs, mais celui-là… »

Oncle ne s'était pas préparé à de tels revirements. Il s'énervait, hochait mécaniquement la tête en signe d'assentiment, puis quittait timidement les lieux avec un petit signe embarrassé de la main et un sourire mortifié.

Telle était l'emprise de Tante sur lui. Un jour il avait dit qu'on pouvait bien toujours rire, il savait bien, lui, ce que valaient toutes ces jobarderies, que tous les hommes étaient esclaves de leur femme, à un degré ou un autre, et y trouvaient leur compte, heureux à proportion de leur servitude ! Il pouvait évaluer le degré d'esclavage de tous les hommes, et donc leur degré d'infatuation et de bonheur. Pour lui, c'était un rapport de cent pour cent.

On apprit qu'il y avait malgré tout quelques sujets de discorde entre eux. Pour commencer, elle aurait bien voulu aller davantage rendre visite à son frère, mais Oncle n'était pas prêt à rester, même un jour, seul à la maison au milieu des domestiques. Tante ne pouvait donc venir nous voir qu'en fonction des jours de congé de son mari. Pour les enfants aussi, Oncle les avait envoyés en résidence universitaire contre les désirs de Tante, et là-dessus aussi ils se chamaillaient.

Mais le plus grand sujet de frustration pour Tante, d'après ce qu'on savait, c'était l'argent. Oncle ne lâchait jamais sa bourse qu'il tenait serrée sous le bras et, ignorant superbement toute demande d'« inflation », comme il disait ; il continuait à lui donner la même somme pour les dépenses du mois depuis vingt ans. Même nous, nous avions vu la bourse d'Oncle, bourrée à craquer de billets. Quand il la laissait traîner, soit qu'il l'oubliât deux minutes pour aller aux toilettes, soit qu'il se précipitât toutes affaires cessantes à l'appel de Grand-père, Tante fondait dessus comme un aigle et en soustrayait dix ou vingt roupies qu'elle fourrait à la hâte dans son corsage. Oncle ne devait pas se douter que Grand-mère pouvait rester muette devant de tels agissements. Qu'il n'y aurait même rien eu d'étonnant qu'elle ait tendu elle-même la bourse sans surveillance à Tante. Et quand Oncle nous donnait à nous aussi de l'argent pour acheter du chocolat ou des glaces, on donnait à Tante la monnaie qui restait. Même si elle ne nous avait jamais demandé de le faire. Elle se contentait de ruminer ses problèmes d'argent, se bagarrant avec Oncle à ce sujet, chapardant même à l'occasion, et on peut dire qu'elle dépensait uniquement pour la maison, pas pour s'acheter des fanfreluches.

Tante disait qu'elle aurait bien voulu faire des études plus longues, mais qu'après son mariage elle n'avait pas pu terminer sa licence. Peut-être souriait-elle de voir mes grandes ambitions mouchées, peut-être prenait-elle un air pincé devant mes désirs de sorties. Mais elle m'aimait, elle m'aimait vraiment. Elle me faisait quantité de vêtements.

Les vêtements vont pour moi avec un sentiment de nudité que j'ai découvert à un moment donné, dans mon enfance. Tante aussi détestait les décolletés, les bras nus, les jambes nues. Un jour qu'on pénétrait dans le temple, elle prit son propre châle pour en couvrir l'encolure de mon pull-over en V : « Au temple avec la poitrine nue ! » Une autre fois où elle m'emmenait dans sa belle famille, à peine sorties, elle me fit retourner dans la maison, alla prendre un *salvar** dans l'armoire et me força à le mettre sous ma robe. Une robe verte à fleurs, un *salvar* bleu à carreaux. J'enrageai de cette offense à la mode et, au retour, quand Maman me demanda ce que j'avais, j'éclatai en sanglots.

En promenade, elle était tout le temps en train de tirer sur ma robe, si j'avais un bouton détaché, de le rattacher, si j'avais les manches retroussées, de les baisser.

Avec Tante, j'avais l'impression d'être un corps.

Avec Tante, j'ai eu dès l'enfance le sentiment de porter la *bourqa*, le voile intégral, de la tête aux pieds.

13

On se souciait beaucoup d'habillement chez nous. Grand-père n'appréciait pas du tout que je m'habille à l'occidentale, que je mette des robes, des pantalons, des chemises. Père, si. C'est ainsi que je parvins à porter les vêtements les plus variés. Par la suite, Soubodh me fit porter des pantalons pattes d'éléphant, des jupes maxi et des mini, tous les caprices de la mode. Quand je sortais de la maison je jetais un *doupatta** sur mon ensemble chemise pantalon, et je n'avais pas passé la grille que le *doupatta* était déjà fourré dans mon sac.

Maman aussi, nous lui fîmes porter le sari à la nouvelle mode, le pan sur l'épaule gauche. Père lui avait lancé un regard qui en disait long, et Maman avait remis à droite le pan du sari.

Et moi je fulminais intérieurement – elle était si belle Maman, si séduisante avec son corps ainsi moulé. Alors qu'avec le pan à droite, à la façon traditionnelle, la silhouette est informe, un vrai sac de pommes de terre. Bien couvrant jusqu'à la tête. Cachant sa jolie blouse de sari, petit corsage brodé à manches ballon.

Mais que moi je porte le sari, même en master, Père s'en offusquait. Il me disait : « Cela te vieillit », et bien sûr, c'était un souci pour les parents. Je pouvais mettre une robe qu'il n'y trouvait rien à redire ! Pourvu qu'elle ait la longueur requise.

Tout le monde était d'accord sur ce point, qu'on ne devait pas apercevoir le moindre petit bout du corps. Du corps des filles. D'un corps de femme.

Le corps, qui n'en était pas un, qui était la promesse du désastre.

Grand-mère – dans la mesure où elle n'était pas malade – réajustait son voile dès qu'il glissait tant soit peu, même en présence de Père. Elle portait des saris de fine mousseline sur son corsage, et on voyait son jupon à dentelles à travers.

Devant moi par contre, elle laissait à peu près tout glisser ! « Le dos me démange, gratte-moi le dos ! »

Que d'espoirs avait-elle dû mettre en la personne de Père pour être à ce point infatuée de lui. Grand-père en outre était complètement hors d'atteinte pour elle, alors que Père venait constamment passer un moment à son chevet. Il venait sans faute au moins une fois par jour s'offrir à sa contemplation béate. Et c'est probablement ce qui avait abouti à faire de lui l'idole de Grand-mère. Encore aujourd'hui, quand je vois quelqu'un follement épris, il me semble qu'il dégage ce même parfum bien particulier qu'ils dégageaient tous les deux ; illusion de mes sens ou vérité profonde, je n'en sais rien, comme si vus de tout près, les divers sentiments qui lient les gens entre eux perdaient leur spécificité.

Quand Père entrait dans la pièce où elle était, Grand-mère se mettait à pépier comme un oiseau : « Viens mon prince, assieds-toi avec moi… où elle est passée ta femme, il rentre épuisé, il n'en peut plus mon roi et je suis sûre qu'elle ne t'a pas demandé si tu voulais quelque chose à manger ou à boire ? »

« Reprends-en un peu, sers-toi, prends-en un peu plus », insistait-elle.

Quand parfois Père déclinait l'offre de mets trop gras ou trop sucrés, elle lui faisait la leçon avec véhémence : « Comment tu vas faire pour garder ton corps en état de marche ? Quand on va au travail, il faut des forces, c'est le beurre clarifié et le sucre qui sont nourrissants, toi tu vas t'user les forces à tant travailler. »

Quand elle avait Père en face d'elle, c'était un pauvre malheureux qui faisait pitié, quand il était hors de sa vue, c'était son « garçon aussi fort qu'un "Anguelais" ».

« Prends-en, fils, c'est du beurre clarifié fait maison. A-t-on jamais vu quelqu'un attraper une indigestion avec du beurre clarifié fait maison ? »

Ah ce beurre clarifié fait maison ! Beurre et beurre clarifié faits avec du vrai lait de vache, bien jaunes. Chez nous pendant des années on cuisinait tout avec ces vrais produits de la propriété. Les *goudjia** et les *malpoua** de Holi, les *goulgoula* et les *barfi* de Diwali. S'il entrait dans la maison des corps gras industriels à l'occasion des grandes fêtes, c'était pour préparer les sucreries à distribuer aux domestiques.

Voilà comment elle nourrissait Père, notre Grand-mère, et voilà comment elle le buvait littéralement des yeux dans son adoration.

Elle ne pouvait pas parler à quelqu'un sans regarder Père. À propos de Maman, évidemment, c'est à Père qu'elle s'adressait avec prédilection, mais même pour nous, s'il fallait nous dire de venir manger, c'est à Père qu'elle s'adressait : « Tiens, dis aux enfants de venir manger avec toi, appelle-les. »

Elle ne pouvait absolument pas rester sans parler, il fallait tout le temps qu'elle parle à Père. Même pour ne rien dire : « Y a des insectes en haut de la porte »... « Il y a le chien qui aboie »… « J'ai l'estomac qui gargouille, j'ai pris un peu de livèche »…

Et si Père se laissait aller à plaisanter avec nous, imitant l'accent anglais pour nous appeler : « *Hello Mister Subod Tewari and you Madam Sunaina Tewari* », elle gloussait de rire comme une gamine, comme si c'était son amant qui flirtait avec elle, elle à qui il donnait du *Madam Dadi Tewari*.

Il y a aussi toute une histoire sur ce *Tewari*. Les récits pieux de Baba-ji, le saint homme, m'avaient empêchée d'un coup de baguette magique d'aller en résidence universitaire, mais je me méfiais à présent et ne tombais plus dans le piège des rituels de Père. Je partis au foyer d'étudiantes pour mon master. Et Père m'emmena à la banque pour me faire ouvrir un compte, qu'il puisse envoyer de l'argent de son compte en toute sécurité et qu'il n'y ait pas de dépenses inutiles ! Et que je retire de l'argent seulement quand c'était nécessaire. J'étais vraiment devenue grande, mais c'était si nouveau pour moi que je me sentais toute petite. J'étais si fière d'avoir à signer et c'est cette fierté qui me poussa à me lancer dans une longue signature bien compliquée et artistique. Mais Père m'arrêta au prénom : « Ça va bien, ça suffit. »

Je me sentais humiliée. Je racontai l'histoire à Maman et elle m'expliqua que, puisque j'allais changer de nom un jour, ça ne servait à rien d'écrire mon nom de famille. Et j'eus l'impression que je n'existais même pas ; moi, Sounaina Tiwari, n'existe que pour le jour où elle se verra effacée, c'est ce jour-là qu'elle existera si encore elle existe.

Le voile avait bougé, s'était écarté encore une fois certes, et la flamme avait monté dans le vent, mais « Tiwari » avait brûlé pour se réduire en cendres à cet instant. Il n'y aurait pas de Tiwari, personne ne changerait Tiwari non plus, rien ne prendrait sa place. Il y a Sounaina. Il y aurait Sounaina. C'est tout.

Je ne réalisai même pas sur le moment que les autres aussi avaient des noms qui avaient dû s'effacer.

Nous nous étions mis à lutter contre Maman : « Pourquoi tu ne dis rien, tu n'as pas envie de t'exprimer ? Tu ne penses pas par toi-même ? De quoi tu as peur ? Pourquoi tu es faible ? »

Nous, nous étions forts. De plus en plus. Nous n'avions pas peur. Soubodh ne craignait pas les tempêtes de Grand-père, il lui répondait du tac au tac. Moi, je n'hésitais pas à me promener dans le parc et quand Grand-père me criait de rentrer à l'intérieur si le portail s'ouvrait, certes je rentrais mais sans me presser, restant dehors le plus longtemps possible, la tête bien haute, passant le visiteur au crible de mon regard assuré.

Tellement obsédée par l'envie de m'échapper de la maison. Et l'air libre, dehors, tellement attirant.

Je passai mes examens de licence, et recommençai à insister pour partir. Père apporta le formulaire d'inscription du *College* Supérieur de la ville. Maman me dit d'une voix désolée : « Toi aussi, tu ne rêves que de partir. » Je me tus, j'avais perdu, j'étais brisée.

Si Maman n'avait pas accepté, je n'aurais été bonne à rien.

Père me dit : « Inscris-toi en anglais. » Moi je dis : « Je veux être médecin, je prendrai biologie. » Grand-père fronça les sourcils. Grand-mère ironisa, clignant de l'œil sarcastiquement sur mes notes de 55 sur 100. Maman répéta le verdict de Père – les filles n'ont pas d'avenir dans les matières scientifiques. Moi, je lui jouai le petit air de l'horoscope ironique : « Quel avenir elles ont, les filles, de toute façon ! La médecine ou autre chose… »

Alors Maman signa le formulaire et moi, je partis par la porte de derrière, en cachette, franchis le fil de fer et attendis Soubodh. Il prit son scooter devant l'entrée principale, fit demi-tour pour me rejoindre et nous partîmes enregistrer mon inscription à l'université.

Deuxième division, résultats médiocres, la ruine des enfants, Maman l'artisan de cette ruine, autant de variantes du lamento qui secoua les murs de ses échos. C'était le déchaînement général contre Maman, à la maison. Mais moi, j'étais désormais étudiante en sciences à l'université.

Les filles de ma fac avaient une obsession unique, comment faire disparaître leur corps derrière leur *doupatta*, comment en faire le point de mire tout en le faisant disparaître ! Quand elles bavardaient avec les garçons à la porte de l'université elles riaient et se couvraient la bouche avec leur *doupatta*. Les garçons, on en rencontrait beaucoup, les frères des unes et des autres, ceux qu'on trouvait à la porte de la fac, ceux qu'on croisait, en rickshaw, sur leur vélo. Je quittais la maison par la porte de derrière, abandonnant Maman à l'inquiétude d'une éventuelle confrontation avec Grand-père et Père.

Quand Soubodh rentrait à la maison, il amenait des amis à lui. À l'époque, je jouais au badminton au Club. J'allais voir aussi des films, du théâtre, des récitals de danse, de musique. On essayait d'entraîner Maman avec nous, avec force arguments. Parfois nous l'emportions, parfois elle l'emportait.

Père lui disait de venir avec nous, pour nous surveiller. Maman ne venait guère pour nous surveiller, parfois elle venait voir un film ou une pièce de théâtre.

Aurait-on pu me surveiller, m'interdire d'aller à droite et à gauche, même si on avait voulu, du moment que j'allais à la bibliothèque, au *college* ? Et Maman, elle gardait même la porte de derrière ouverte. Devant elle, Soubodh bavardait sans la moindre réserve avec mes amies, et moi, je n'hésitais pas à discuter avec ses amis. Quand Père arrivait sur les lieux je n'en avais pas moins la langue paralysée. Et quand il s'installait dans la pièce d'à côté, je gardais les yeux baissés, je ne parlais plus, et notre tohu-bohu à nous tous se calmait, s'il ne s'arrêtait pas complètement.

Même après le départ de Soubodh pour son pensionnat, son ami continuait à me porter des livres. S'il tombait sur Père, il lui parlait de Soubodh et retournait sur ses pas. Sinon, il passait par-derrière, saluait Grand-mère et plaisantait avec elle, et arrivait là où se trouvait Maman. Où moi aussi j'accourais.

Un jour, il m'apporta un livre. Père l'arrêta, lui demandant de quoi il s'agissait. « C'est de la lecture, pour Sounaina », dit-il. « Fais voir », dit Père, en s'emparant du livre, tandis que l'ami tentait d'en retirer une feuille de papier. Mais Père avait déjà tout dans les mains. Il déplia la feuille, une longue lettre, la replia, et dit : « Je la donnerai à Sounaina, elle n'est pas à la maison pour le moment » – son petit mensonge habituel.

J'en avais des sueurs froides. Père ne me regarda même pas, il alla directement dire à Maman que c'était Ramesh. Qu'est-ce que c'est que ce livre ! *Pour qui sonne le glas*. Et, brandissant la feuille de papier : « Et ça, regarde, qu'est-ce que c'est ! »

Maman vit mon nom sur la feuille de papier, et me la tendit avec ces mots, sur un ton neutre : « C'est pour toi. »

J'ouvris la lettre, un poème d'amour. Je le lus, y vis s'exprimer la fougue même de la jeunesse, et, persuadée que j'avais la vie et la mort de quelqu'un entre mes mains, qu'il y allait d'un événement dramatique, je dis avec le plus grand sérieux : « Comment te dire Maman, c'est tellement compliqué, tout ça, on en parlera plus tard. »

Elle ne demanda aucune explication. Moi j'allai me jeter sur mon lit et me mis à pleurer – *Oh, no no no, he loves me so.* J'étais pleine de compassion pour les souffrances du malheureux. Mais moi, non, je ne veux pas m'arrêter, je veux continuer sur ma voie, je ne peux rien pour toi, rien te donner, je m'envolerai d'ici, bientôt, dès que possible.

Grand-père vit un jour l'ami en question et tonna : « Qui es-tu, qui veux-tu voir ? »

Il se démonta, bredouillant : « Le… le livre pour Sounaina…

– Sounaina ! », rugit Grand-père.

J'arrivai.

« Qui est-ce ? »

J'étais paralysée, incapable de parler : « Je ne sais pas. »

Grand-père m'avait fait dire un mensonge, et je ne pus lui pardonner.

Mais Ramesh me pardonna. Quand je me préparais à partir pour mon master et habiter en foyer, nous avions commencé à nous rencontrer au Club, dans les jardins de la Compagnie. Avant mon départ, nous étions très proches, très attirés l'un par l'autre. Premier baiser, tremblant, au bord de ma jeunesse, de mon enfance.

14

Soubodh était au courant de certaines de mes aventures. Au fond, avec nos deux petites années de différence, c'était à peu près la même expérience douce-amère. Nous avancions de conserve. En dépit des « surveille-la » que Père prodiguait à Maman, des « rentre » de Grand-père, et des « couvre tes jambes » de Grand-mère, le vent de l'adolescence soufflait, tant dans les limites strictes de la maison que hors de ces limites. Déjà que personne, personne ne peut venir à bout de la vie et l'enfermer dans une chambre close, la jeunesse, elle, c'est un ballon gonflé qu'on a beau tenir bien fermement par la ficelle, il n'en va pas moins au gré du désir ; dès que le fil lâche, et il ne manque pas de lâcher, le ballon s'envole dans le ciel, tout là-haut.

Nous nous parlions énormément Soubodh et moi. Que de choses on se racontait ! On grimpait sur la terrasse, et là, le plus sérieusement du monde, on débattait de « sexe ». Est-ce que c'est sale ou bien pur, comment quelqu'un peut laisser lui arriver cette chose avec quelqu'un d'autre, est-ce que l'amour n'est que le désir en réalité, est-ce que l'amour reste l'amour même sans « sexe », ou bien est-ce que… Ou bien est-ce que ? Il nous arrivait tout naturellement d'être sérieux parfois, nous étions dans notre monde, inconscients, tout à la houle montante et descendante de nos grandes questions. Nous tombions dans un sérieux abyssal, une tension inhabituelle crispait nos visages et nous réprimions, embarrassés par nous-mêmes, les envies de rire qui nous prenaient de temps en temps, jusqu'au moment où, à quelque sollicitation inopinée, un éternuement à l'unisson, ou un *rickshawala** en bas qui apostrophait quelqu'un dans la rue – « Eh, frérot, bouge-toi un peu de là » – le ballon tout à coup s'envolait, tout notre sérieux se dégonflait dans un grand *pschitt*, et nous éclations de rire. Comme s'il s'était passé quelque chose de très très drôle !

Il y avait aussi les blagues absurdes glanées à droite et à gauche, très appréciées dans notre cercle d'amis. Par exemple l'histoire des moustiques qui entrent dans un bateau et se mettent à piquer tout le monde, alors une jeune fille enlève son corsage – « Et ça, tu crois que c'est des piqûres de moustique ? »

Un jour Maman débarqua en pleine conversation, pour nous apporter quelque gâterie, et on lui raconta à elle aussi notre blague. Elle eut un sourire mais elle nous dit : « Ce n'est pas particulièrement drôle, il ne suffit pas de parler d'un sujet tabou pour donner envie de rire. » Et elle nous raconta à son tour une autre blague : « Des habitants de la terre et des habitants d'une autre planète se rencontrent ; les extraterrestres montrent leurs coutumes, voyez, nous on a ça, nous on a ci, nous on fait ça comme ça, nous on fait encore ça, et comme ça on fait un bébé en deux minutes. » Alors les terriens disent : « Nous on fait ça comme ça, voyez, et on fait encore ça, et on fait les enfants en neuf mois. » Les extraterrestres en sont sidérés : « Si ça vous prend neuf mois pourquoi tant de précipitation? »

Et nous de nous esclaffer. Maman avait entendu cette blague un jour au Club en compagnie de Père. Cela nous fit encore plus rire de l'entendre la raconter elle-même. Nous étions transportés d'allégresse, conscients que cette communion faisait de nous trois un petit clan à part.

Et pourtant, on ne se racontait pas tout, pas même à soi-même, a fortiori pas aux autres. Nous ne racontions pas tout à Maman, Soubodh et moi, ni même moi à lui ou lui à moi. Je savais que Soubodh gardait ses petits secrets pour lui. Ranjna et la grande sœur d'Anjan, Jiji, le faisaient allonger sur elles, je le savais. Quand Soubodh venait en vacances à la maison, Jiji restait passer la nuit chez nous. Pendant l'été on dormait dans la cour, dans les odeurs suaves du jasmin. Grand-père installait le ventilateur de table dans la véranda de devant et dormait là, ainsi que Père. Maman dormait avec nous. En ligne, d'abord Maman, puis moi, puis Soubodh, puis Anjan, puis Ranjna, et dans le coin, Jiji. Elle trouvait toujours un prétexte pour prendre la tête de Soubodh et l'attirer passionnément à sa généreuse poitrine. Soubodh m'avait dit : « Souni, tu sais, quand je dors elle vient et elle prend ma main pour la mettre sous sa chemise. »

Tout ça, on n'en disait rien à Maman. Je ne lui racontai pas non plus que Beri Maharaj, quand il venait voir Père, le gros tout huileux, m'appelait à lui en me donnant du sanskrit – *ao balika* « viens fillette » – et me prenait le bras à pleines mains, il en profitait même pour essayer de me toucher les seins. Une fois il m'avait demandé de venir lui lire des chiffres un par un, sous prétexte qu'il n'y voyait pas clair. Je les lui avais lus en anglais, et il m'avait reprise, « En hindi, ma fille ». Et j'avais lu en hindi, *ek, sat, do, do*, un, sept, deux, deux, réalisant quand il s'était mis à rire, les yeux pleins de flammes et de braises, que la série des chiffres voulait aussi dire nous deux ensemble, *ek sath do do*. Maman ne comprit jamais pourquoi je le fuyais et pourquoi Soubodh l'agressait comme un chien enragé dès qu'il l'apercevait.

Ni Grand-père ni Père ne nous laissaient sortir comme on voulait. Rester passer la nuit chez quelqu'un était impossible, ils avaient une véritable peur de la nuit tous les deux. Je me demande de qui ils voulaient nous protéger. Mais la prison n'a jamais rien arrêté, ni les bonnes actions ni les mauvaises.

Père, comme Grand-père et Grand-mère, voulait nous tenir sous cloche en tous lieux, que nous ne voyions rien, qu'on ne voit rien de nous !

Un jour Jiji – oui, toujours la même – était venue nous présenter son bébé et Maman l'avait embrassée sur la bouche.

« Arrête, ça ne se fait pas… », avait lâché Père, confondu. Pas en criant, pas d'une voix coléreuse, rien de tel, mais une réprobation terrible : « Tu n'as même pas pensé aux enfants ? »

Comme si on allait se mettre à prendre les gens et à les embrasser sur la bouche !

Une autre fois, quelqu'un qui était venu rendre visite à Grand-père, et qui buvait du sirop de bel*, avait trinqué avec Soubodh en disant « *cheers* ». Grand-père avait explosé : « On ne fait pas ça devant les enfants, même pour plaisanter. Il ne faut pas leur mettre ça dans la tête ! »

Nous, on en était à trinquer quasi tous les soirs, avec nos verres d'eau, en face de Maman, en disant « *cheers* », et de fumer nos cigarettes en sucre, des cadeaux de Père, en envoyant nos bouffées fictives à la ronde.

De toute façon, chez nous, boire des choses sérieuses, c'est-à-dire de l'alcool, ou en offrir n'était pas dans les habitudes. Il se disait que Grand-père buvait de temps en temps. Lui-même avait déjà fait allusion à des sorties avec ses amis anglais, où il y avait de l'alcool. Père buvait au Club, parfois dans sa chambre, avec Oncle, ou avec un invité, ou même tout seul, en cachette, mais jamais devant nous. Certes, après le décès de Grand-père et Grand-mère, on eut l'occasion de le voir prendre son « remède » hors de sa chambre.

Aussi étrange qu'il y paraisse, dans notre enfance nous croyions que ce « remède » était vraiment un remède, pas de l'alcool. Le mot « alcool » était tabou à la maison, comme « déféquer » et « uriner ». Nous faisions la grosse commission et la petite commission, *big bathroom* et *small bathroom*. Hardeyi et Bhondou aussi allaient en faire autant, verbalement, devant nous, même si en notre absence ils descendaient sûrement d'un cran dans leur langage. Pour l'alcool, c'était pareil, personne n'en parlait.

Le plus étonnant est que même le mot « remède », nous ne le prononcions pas. Ce « remède » était enfermé dans la chambre de Père, dans l'armoire cadenassée. Maman le sortait parfois pour le donner à Hardeyi, qui le donnait à Bhondou, qui le mettait sur un plateau avec un verre, de l'eau et des glaçons pour le porter au salon où bavardaient Père et son groupe d'amis. Quand Hardeyi passait près de nous avec la bouteille, elle craignait nos regards insistants et dissimulait la bouteille dans son dhoti.

Personne ne nous avait dit que le « remède » était nuisible, mais je savais bien qu'on ne m'en donnerait jamais. Je me demande comment je savais qu'il était amer, je ne sais quand j'avais découvert qu'il sentait mauvais. Mais il flottait dans l'air un mystère à son sujet, c'était certain. Un jour où Tante était avec nous, Hardeyi déplaça avec Maman l'armoire de Père et on entendit un bruit de bouteille qui se cassait à l'intérieur, laissant couler dehors un liquide épais et qui sentait fort, tous les deux, Soubodh et moi, nous nous sentîmes tellement embarrassés devant Tante qui était avec nous que nous nous crûmes obligés de nous justifier : « C'est quoi, ce truc bizarre… », tout en filant sur la terrasse pour éluder sa réponse.

Et on avait trouvé une fois un verre près de Maman, tard dans la nuit, un verre vide, qui sentait, un jour où Père n'était pas à la maison.

Je me demande ce qu'on pouvait en penser, dans ces jours d'enfance, parce qu'on ne pensait pas à ce qu'on pensait. On avait bien vu des films, des pièces de théâtre, on lisait des livres, et il nous arrivait pour nous amuser de nous dessiner des moustaches et une barbe sur la figure avec un stylo, de boire du sirop et d'avancer en titubant – la langue empâtée, le pas incertain, les yeux égarés, nous jouions la comédie et riions aux éclats.

Dans notre petite comédie, il ne nous venait pas à l'esprit qu'il y avait quelque part du vrai alcool, et cet alcool ne fut jamais associé au « remède », pas plus que le « remède » à Père, Père à Maman, Maman à l'odeur laissée dans le verre vide, et cette odeur à un vent venu d'ailleurs dans la vie de quelqu'un…

15

S'il nous fallait faire des associations, c'était Maman et nous. Nous nous engouffrâmes dans sa coquille vide. Nous voulûmes insuffler notre ardeur à sa personnalité faible et craintive.

Petit à petit nous devînmes pour elle comme des chiens fidèles, montant la garde vaillamment ! D'abord quand nous étions encore un peu timorés, si quelqu'un lui faisait une remarque nous levions vers elle des yeux pleins d'inquiétude et de compassion. Puis nous nous mîmes à gronder. Puis à aboyer au besoin. Puis s'il le fallait à franchir le pas et à mordre.

Nous avions fini par avoir peur pour Maman. Elle aussi, nous voulions la sortir de là, avec nous.

C'est pourquoi, le jour où elle tomba, la panique nous prit. Le cœur nous manqua, et pour longtemps.

Maman avait perdu connaissance, on la souleva pour la porter sur le lit, Père partit en courant chercher le docteur, Grand-père se mit à tourner en rond, Grand-mère à se répandre en lamentations.

Maman était tombée malade.

Nous n'avions pas souvenir qu'elle fût déjà tombée malade. Dans notre souvenir, elle était toujours penchée à travailler, toujours en train d'écouter les demandes de chacun, de tout accepter. Les jours de jeûne, elle avait bien des migraines, on s'en apercevait à son visage plus tiré, son teint plus émacié. Mais elle continuait à travailler comme d'habitude. Des maux de tête, elle devait en avoir d'autres jours aussi, on le savait parce que quand ils tombaient pendant son jeûne elle refusait les comprimés que nous tentions de lui faire prendre, ce qui voulait dire qu'elle connaissait ces comprimés et avait dû en prendre à d'autres moments. Mais du moment que les maux de tête ne changeaient rien à sa routine quotidienne, ils nous sortaient de l'esprit aussitôt. Non, avant cette chute, Maman n'était jamais tombée malade. C'était le privilège de Grand-mère de geindre une ou deux fois le mois « Aïe aïe aïe mon doux seigneur, enlève-moi à ce monde j'ai tellement mal, je n'en peux plus… »

Alors quand Maman tomba, nous en fûmes abasourdis.

Elle avait tout à coup eu les jambes qui s'étaient mises à trembler, expliqua-t-elle ensuite ; souvent elle avait mal aux jambes, et au dos aussi.

Le docteur regarda son dos et Père d'insister pour faire une radio, mais pas tout de suite ; pour le moment, il fallait que Maman reste couchée vingt-quatre heures sur vingt-quatre pendant quelques jours, sur un lit sans oreiller, un lit en bois et pas un lit à sangles, et prenne des médicaments contre la douleur, à la fois pour les jambes et pour le dos. Le docteur était rassurant, ce n'était pas une maladie, c'était dû au fait de se pencher sans arrêt.

Grand-mère s'empara du diagnostic, qu'elle répétait indéfiniment, ce n'était pas une maladie, ça lui est arrivé à force de se pencher, c'est tout. Elle disait cela sur un ton de compassion et de soulagement, mais non sans se plaindre de tout ce cinéma, qu'est-ce qu'on avait à être tous aux petits soins pour elle, elle n'était pas malade ; alors ?

Père déploya pour elle une attention infatigable, l'hôpital, le bazar, il s'occupait de tout, ce qui mettait Grand-mère dans tous ses états : « Aïe, pauvre de lui, mon prince, c'est sur lui que tout retombe, le bureau, la maison, courir après le docteur, aïe le malheureux, il s'épuise, il y perdra la vie, pauvre petit. »

Pauvre fi-fils à sa maman, pauvre maman du petit prince. Pauvre Grand-mère. Parce que, pour la première fois, Grand-mère fut obligée de s'occuper un peu de la cuisine. Il fallait que je parte au *college* le matin et cuisiner n'entrait pas dans les attributions d'une intouchable comme Hardeyi, Grand-mère était donc obligée de mettre la main à la pâte.

Elle s'y employa sans lésiner. Des quantités de beurre clarifié. Pour Maman, plus léger, mais ce qu'elle lui faisait porter était préparé avec le plus grand soin – flocons de tapioca, courgettes, jus de petits concombres, riz aux lentilles.

Toute la journée on l'entendait donner de la voix : « Triple idiote, pourquoi tu as mis tout ce cumin, quatre *anna* d'un seul coup ! »

« Oh là là, tu ne peux pas regarder, imbécile, le lait a monté, ça déborde, on sent ça d'ici, tu me donneras au moins une roupie pour ce gâchis ! »

« Aïe aïe aïe regardez-moi ce gaspillage, tu crois que c'est l'argent de ton homme ? »

Du matin au soir, c'était le décompte de tout l'argent qu'Hardeyi avait englouti, de tout ce que Bhondou avait dilapidé. Et la même chose pour les repas qu'elle leur servait deux fois par jour, elle comptait le moindre sou.

« Vous autres vous n'allez pas manger ça, il faut que je le leur donne à eux le dal du matin, il y a au moins une demie livre de beurre clarifié ! »

« Des épinards à ce prix, et elle les a broyés sur une meule même pas nettoyée, elle l'a fait exprès, ils sont pleins de petites pierres, je suis obligée de les donner aux domestiques ! Un luxe pareil ! »

Maman devait garder le lit, repos total. Le docteur avait dit qu'elle souffrait beaucoup. Quand elle eut l'autorisation de se lever, père demanda une voiture pour la conduire à l'hôpital et faire faire la radio.

Le docteur expliqua que c'est ce qui arrive aux personnes qui travaillent toujours penchées. À force de rester penchées, la matière entre les vertèbres s'use et l'os fait pression sur les nerfs. D'où la douleur. Ces personnes ont mal quand elles se baissent, mal quand elles se redressent.

En termes médicaux, le docteur conclut à une dégradation des disques intervertébraux. Il y a une substance cartilagineuse appelée anneau fibreux à l'extérieur, et à l'intérieur une matière pulpeuse, appelée noyau gélatineux. C'est le disque qui assure la souplesse de la colonne vertébrale, mais ce disque s'use si on se tient debout ou assis dans une mauvaise position, qu'on travaille trop, qu'on force : la colonne vertébrale prend une mauvaise position, se tord, et fait pression sur les nerfs.

La douleur ne disparaîtra pas, dit le docteur. Oui, on peut porter une ceinture, une ceinture spéciale, et je vais vous indiquer des exercices, faites-les, et faites aussi des petites pauses avant de vous sentir vraiment fatiguée, et si la douleur persiste, prenez des analgésiques.

Ce n'est pas grave, ce n'est pas une maladie, c'est commun chez les femmes.

Grand-mère eut un soupir de soulagement, ce n'était rien de grave. Ce qui lui était arrivé à elle, dit-elle, les enfants ne s'en souviendraient même pas, qu'elle ait une fausse hanche et qu'elle soit condamnée à boiter toute sa vie.

Et nous ? Nous, on le savait depuis le début, que Maman avait une faiblesse dans la colonne vertébrale…

On avait pitié de sa faiblesse, on voulait la sauver, et puis un jour, on la prit en haine, doucement, sa faiblesse.

16

« Un jour », je viens de dire sans y penser, mais quel jour, je serais bien incapable de le dire.

Cela a dû se faire imperceptiblement, mais quand j'essaie de me souvenir, j'ai l'impression que tout a changé, d'un coup, dans la maison. Maman s'était mise à marcher en portant une ceinture, mais elle marchait plus qu'auparavant. Parce qu'elle se promenait aussi dehors, devant la maison, où à présent ne planait plus que le souvenir de Grand-père. Dedans aussi, où la force d'obstruction de Grand-mère était partie avec elle.

La vieillesse vint à Maman avec le statut de maîtresse de la maison, du même coup.

Grand-mère était morte du vivant de son mari, en bien-heureuse. Elle disait toujours : « Je ne demande qu'une chose au Seigneur, c'est qu'il m'emporte avant lui. » Lui : Grand-père. Son menton, dont les os avaient fondu depuis des lustres, tremblait en mesure avec ses lèvres. J'avais envie de rire en pensant qu'elle n'avait rien à lui dire alors qu'il était encore en vie.

Quoi qu'il en soit, Grand-mère était une personne entê-tée. Elle traita par le mépris les interdictions du docteur et continua à manger comme bon lui semblait, en cachette, ou

ostensiblement, mais sans préjudice pour sa longévité. Elle
mourut au moment qui lui était destiné, à plus de soixante-
dix ans. Si maintenant quelqu'un me dit qu'on meurt quand
on doit mourir, je ne fais pas de commentaire. Enfin, Grand-
mère mourut et Grand-père pleura à gros sanglots, et quelques
années plus tard lui aussi quitta ce monde.

Je n'en ai guère de souvenirs précis. Les fleurs, je me souviens, le pandit et ses récitations aussi, la foule, aussi. Je me
souviens que le jour de la mort de Grand-père, ou de Grand-
mère, je devais aller au Club pour une réunion quelconque,
et que j'étais désolée de ne pas pouvoir y aller. La nuit était
tombée et j'étais dehors quand je vis Père rentrer à la maison
d'un pas vif. Je savais que c'était Père, mais dans l'obscurité
on ne voyait que ses vêtements clairs, fantôme sans tête qui
avançait, et moi aussi je rentrai dans la maison. Et puis je me
souviens qu'un jour l'un de nous dit qu'il fallait regarder la
photo de Grand-père dans le salon et on entendrait le bruit
de ses pas, et je me mis à aller au salon. Je me souviens qu'un
jour où j'étais montée seule sur la terrasse, j'avais vu la petite
couette bleue de Grand-mère qui séchait sur la corde à linge
et j'avais pleuré.

Maman commença à parler aux domestiques et aux journa-
liers, et fit élaguer le henné planté devant le salon de Grand-
père – qui se couvrait de fleurs blanches et de bourgeons
verts en mars et dont nous broyions les feuilles pour décorer
les paumes de nos mains, Soubodh et moi, de dessins artis-
tiques. On enleva des sacs et des sacs d'herbes sauvages qui
poussaient au pied du henné et on bêcha la terre autour, après
quoi on passa le rouleau, on y sema du gazon à la mousson et
on inaugura la pelouse de Maman. On créa des plates-bandes
fleuries et les roses anglaises commencèrent à fleurir. On fit
d'autres plates-bandes, fleuries de diverses espèces – *candytuft*,

phlox, pétunias, *nasturtium* – qui se balançaient doucement dans la brise.

Il y avait une petite terrasse sur la pelouse, pour s'asseoir, et Grand-père disait que les serpents s'y glissaient à cause des hautes herbes environnantes. Désormais tous les soirs le porteur d'eau venait arroser et Bhondou installait quatre fauteuils et une table ronde. On mettait une nappe et un grand cendrier de cuivre. C'est là que Père et ses visiteurs s'installaient pour prendre le thé. On avait perdu l'habitude des sirops.

Quand il n'y avait pas d'invité, Maman s'installait là avec son tricot ou sa couture, les ouvriers venaient la voir et elle leur donnait ses instructions. Moi aussi, je m'installais à ses côtés, à balancer les jambes. Si quelqu'un ouvrait la grille d'entrée, Maman se levait précipitamment et rentrait dans la maison.

Pourtant les liens entre dedans et dehors s'étaient intensifiés. À tel point qu'on voyait Maman davantage dehors que dedans – sur la pelouse, aux champs, penchée sur les pots de fleurs ou les plates-bandes.

J'ai moins le souvenir de la mort de Grand-mère et de Grand-père, alors que je n'étais plus une enfant, que de la maison après leur mort, de son changement, la fin de la saison des rigueurs.

La prison qu'était la cuisine entrouvrit aussi ses portes. Père souffrant de l'estomac, il mangeait peu, et mangeait simple. Mais pas au point de laisser Maman inactive. Elle ne préparait ni *pakaura* ni *kachauri*, mais des jardinières de petits pois, des salades de fruits. On se mit à consommer plus de petits déjeuners achetés tout prêts au marché. Les amis de Père affluèrent, et on leur faisait porter thé, biscuits, jus, lentilles soufflées.

Quelque chose faisait que le monde de Maman s'élargissait.

On la voyait désormais dans l'aube rutilante comme un sou neuf, le pan du sari rabattu sur la tête, discuter dans les champs, ramasser pour sa *pouja* des fleurs de jasmin et d'hibiscus, qu'elle mettait sur une feuille de bananier, ou arroser et sarcler ses plantes, tailler les lianes, désherber, enlever les feuilles mortes, manipuler le tuyau d'arrosage.

Un jour nous étions assis avec elle sur la murette longeant le champ de moutarde qui embaumait.

« Comme c'est beau, Maman, dit Soubodh, qui était de retour à la maison, ça réjouit toujours le cœur de voir des fleurs.

– Pas toujours, non, fit Maman sur le ton de la plaisanterie, voir des fleurs de papaye ça déprime plutôt. C'est un homme, ça ne donne pas de fruit ! »

La terre ne manquait pas dans la propriété. Quatre ou cinq hectares. Du blé, des lentilles, du maïs, il y avait de tout qui poussait dans nos champs – une toison dorée en avril, quand tout mûrissait. Et derrière la cour de la maison, le potager. C'est là aussi qu'il y avait les bananiers, le myrobolan, le jasmin, et les papayers, et les citronniers, et les jaquiers. On suspendait les régimes de bananes partout dans la maison pour les faire mûrir, il n'y avait qu'à lever le bras pour attraper un fruit.

Derrière il y avait des massifs de canneberge, dont Maman faisait du chutney, un chutney dont elle seule avait le secret.

Devant, juste contre la façade du salon, Maman avait fait mettre un treillage où faire grimper une vigne – elle donnait d'abondantes grappes vertes en mai-juin.

Avant, c'est Grand-père qui s'occupait des champs. Légumes verts, céréales, mangues et goyaves, on en avait à l'époque aussi. On préparait des plats aux fruits du jaquier et divers condiments à l'époque aussi. Mais quand Maman toucha au jardin, ce fut la baguette magique du féminin.

Dans les jours d'après cet avant, je vis Maman paisible, mais repliée sur elle-même. Quand je me levais tôt, moi aussi j'étais touchée par la grâce pure de l'aube. Une suavité tendre où le chant du rossignol se mêlait aux pépiements des oiseaux. Le parfum léger des fleurs de nyctanthe mêlé à la senteur de la rose et du jasmin. L'air frais, léger, limpide et la candeur pure, fraîche, innocente. Au loin, les bœufs étaient déjà au travail, à tourner autour du puits, et l'odeur de la paille et de la bouse arrivait jusqu'à moi. On entendait le glissement du balai sur le pas de la porte devant les logis des domestiques, on voyait des gens se nettoyer les dents avec le bâtonnet traditionnel, le *datoun*. Maman était au cœur de cette magie matinale, avec ses yeux pleins de douceur.

Et pourtant, je ne trouvais pas que tout fût devenu parfait pour Maman. Le foyer, feu de bois, de charbon, poêle, gaz, j'avais l'impression que c'était toujours la même histoire qui se répétait sur ce thème.

Nous avions franchi le portail, il fallait qu'on la fasse elle aussi passer dehors. Grand-père disait que hors de nos murs le monde est plein de poisons, méfiez-vous-en. Nous lui avions demandé, d'emblée, comment lui-même avait fait pour y échapper. Ou qu'est-ce que c'est que ce poison, si personne ne peut y échapper, et que vous, vous y avez échappé ? On est des enfants, on n'a pas l'âge de comprendre, d'accord, mais Maman et Grand-mère, elles sont ignorantes au point de ne pas pouvoir comprendre, et c'est pour ça qu'il faut qu'elles restent dedans elles aussi, pour échapper au poison ? Pourquoi ?

Maintenant nous n'étions plus des enfants. Notre enfance était partie, Grand-père et Grand-mère étaient partis. Nous étions allés dehors, et comment Grand-père aurait-il pu ramener dedans ceux qui étaient allés dehors ? Maintenant la porte de derrière ne servait même plus guère – Bhondou n'apportait plus de charbon dans son sac pour la cave à charbon, moi je n'avais plus à me cacher de tous pour sortir en ne mettant que Maman dans le secret ; il n'arrivait plus que Père me surprenne au retour et me dise, il faut demander aux adultes la permission de sortir, que je sois obligée de dire, non sans révolte, j'ai demandé à Maman, mais avec la peur que cela ne retombe sur elle, et donc en ajoutant ce mensonge, pour la tirer d'affaire, que j'avais à préparer un examen, qu'une amie était venue me chercher en voiture, c'est pour ça que Maman m'avait autorisée à partir.

Cette époque était révolue. Mais l'époque où nous croyions sauver Maman et devoir sauver Maman, cette époque-là n'était pas révolue.

17

Alors, comme nous ne parvenions pas à la sauver, nous nous sommes mis à pester qu'elle ne nous aidait pas. Si au moment de partir avec nous elle croisait le regard de Père, elle revenait en arrière, sabotant même parfois un programme conçu uniquement pour elle.

Par exemple, nous l'avions persuadée non sans mal de venir avec nous à la montagne, chez l'un de nos amis. Sur le coup, elle s'affola, mais son visage rosit d'excitation. Elle avait demandé s'il y avait un temple à proximité et nous lui avions dit que oui, en prenant un taxi on peut y être en une heure, c'est un lieu de pèlerinage important. Nous avions annoncé la chose à Père avec fermeté. On avait posé d'emblée qu'on n'était pas au bazar, pas de marchandage ni de compromis, pas de discussions à n'en plus finir, tout était prêt, on partait acheter les billets. Quand on revint de la gare avec les billets, Maman nous tint ce discours, dont elle ne voulait pas démordre : « Rendez les billets, allez-y, vous, je ne vous interdis pas, mais moi je n'ai pas envie, si vous m'emmenez de force quel intérêt ? »

Soubodh se mit à grommeler : « Qui pourrait la forcer ? Du moment qu'elle ne veut pas elle, qu'elle n'est pas avec nous. Souni, *she is such a weakling* ! C'est vraiment une faible! »

Souni et Soubodh n'étaient plus des « *weaklings* ». D'abord ils étaient seuls et quand on est seul on n'est responsable que devant soi-même. Ensuite, et c'est lié, quand on est seul, on se donne à soi-même une importance toute particulière. Être seul, c'est être fort, être habile, être capable de tout affronter. Et donc, pourquoi gâcher notre être unique à des banalités ? Plus il y a de difficulté, plus il y a de complexité, plus c'est dans les cordes de celui qui est seul. Grandes batailles, grandes victoires. Grandes défaites.

Mais je n'étais peut-être alors pas si indépendante, pas si capable d'assumer ma solitude. Parce que, quand je rentrais pour les vacances et que Père ouvrait mon courrier avant de me le faire passer, j'étais longtemps restée incapable de rien dire. Je me contentais de lire les lettres ouvertes qui m'étaient adressées, un orage déchaîné en moi.

Et puis quelque chose a dû se passer. Qui n'avait aucun rapport avec les lettres, qui n'avait peut-être aucun rapport avec quoi que ce soit. Mais pour une raison quelconque je me retrouvai la voix brisée, les larmes aux yeux, et quand je commençai à pleurer, quantité de choses tristes à pleurer me remontèrent en mémoire, me tirant des torrents de larmes, un vrai déluge de larmes. Je n'étais plus moi-même, je pleurais à n'en plus pouvoir. Maman, affolée, essayait de me calmer, Père arriva en catastrophe, et moi, je bredouillai entre deux sanglots : « Il… il n'a pas confiance… il a ouvert… les lettres… » Maman regarda Père d'un air interrogateur. Et Père eut cette réponse embarrassée : « J'ai dû ouvrir par erreur… je ne le referai plus, ma petite… »

Par erreur, moi aussi j'en ouvris une, de lettre. Qui se trouvait dans le cadre de nos photos de famille sur l'étagère où Maman mettait son nécessaire à coiffure, peigne et huile. Soubodh avait acheté un appareil photo et avait pris des tas de photos de tous et je voulais ajouter dans le même cadre celles de Grand-père et Grand-mère. J'ouvris donc le cadre de nos photos. Il en sortit ce bout de papier, une lettre adressée à Maman.

Je ne m'étais jamais étonnée qu'il n'arrive pas de lettre au nom de Maman. Jamais. Mais je m'étonnai qu'il lui en fût arrivée une, à son nom. Une lettre au nom de Maman, comment cela se faisait-il ?

Et je l'ouvris sans y penser, cette lettre, dont je ne comprenais pas de qui il pouvait s'agir, qui se souvenait d'elle, qui se souviendrait d'elle, qui lui souhaitait d'être heureuse dans sa vie conjugale, qui viendrait la voir « chez elle », qui se débrouillerait pour connaître son adresse, qui lui souhaitait tout le bonheur que peut apporter la vie, s'il m'arrive au détour du chemin de me trouver en face de toi, je voudrais voir à la joie sur ton visage que c'est toi, toi seule, toi mienne, et ton − une signature complètement illisible.

Le papier jauni et craquant me brûlait les doigts, je le repliai et l'enfouis à la hâte à nouveau dans le cadre.

Je n'eus jamais le courage de troubler la tranquillité méditative dont était empreint le visage de Maman.

18

Soubodh avait quitté la maison familiale dans la joie, il n'avait pas eu à plaider son cas lui-même. Il avait quitté le pensionnat anglophone après avoir réussi son examen, pour poursuivre ses études dans une université d'une plus grande ville. C'est lui qui avait commencé à s'informer là-bas pour moi, et je pus donc moi aussi aller là-bas faire un master. Nous serions dans des *college* différents et des résidences pour étudiants différentes, mais à nouveau dans la même « école ». Puis Soubodh était parti à l'étranger.

J'ai toujours reconnu à Soubodh le mérite de m'avoir extraite de la maison. Il avait toujours lutté pour moi, contre Grand-père, contre Grand-mère, et même contre Père. Moi, je restais prostrée dans mon coin et me mettais à pleurer. Maman restait muette, regardant alternativement l'un ou l'autre. Écoutant alternativement l'un ou l'autre.

Mais Soubodh fut intraitable.

Grand-père hurlait que, d'accord, son frère a été reçu premier de l'État d'Uttar Pradesh, mais quels résultats elle a eus, elle, qu'elle soit là à piaffer pour aller étudier à l'extérieur ! On n'a pas à compromettre l'avenir de nos enfants en les envoyant dans des endroits étrangers. Les filles de tous les autres font leurs études sur place, est-ce que ça veut dire qu'elles raisonnent de travers ? Père se mit à pleurer, et Soubodh de m'apostropher : « Souni, est-ce que ce n'est pas du grand théâtre ? » Maman m'avait plusieurs fois prise à part pour me chapitrer : « Réfléchis bien Souni, si jamais il arrivait quelque chose à ton père ? Moi je voudrais vraiment que vous autres, vous réussissiez, que vous vous fassiez un nom. Mais réfléchis bien, est-ce qu'il est vraiment indispensable de partir ? Vous êtes grands maintenant, vous connaissez le monde, pas moi, comment je pourrais savoir où aller pour avoir quoi ? Tu es si impatiente de partir, pourquoi, réfléchis-y bien toi-même. »

Et je sentais les jambes me manquer, ma volonté se défaire. Suis-je vraiment si impatiente de partir, est-ce vraiment si important de faire un master là-bas, qu'est-ce que je veux faire de moi, est-ce que je pourrai réussir ?

Où trouver la balance susceptible de peser au juste poids mon propre désir, la vraie nature du projet ? De peser au gramme près, au centigramme près, au milligramme près ? Et même s'il se trouvait une pareille balance quelque part, pourquoi tu me fais peser les choses comme ça ?

« On apprend quantité de choses là-bas Maman, il y a la confiance en soi, il n'y a pas que les études. » Soubodh l'avait expliqué, avec beaucoup de fermeté. Ici le niveau académique était médiocre, et les filles sortaient du *college* timides et repliées sur elles-mêmes.

Sortir de la maison, c'est désastreux pour les femmes, j'entendais ces paroles heurter les murs de la maison et glisser, devant le silence déterminé de Maman. Père ne la lâchait pas : « Fais quelque chose enfin, toi ils t'écoutent, tu les as tellement gâtés qu'ils méprisent ce que peuvent dire les autres, supplie, menace, toi, explique-leur qu'il faut se méfier et penser à la ruine de la famille, jette-toi à ses pieds, pleure, bats-la, tu es sa mère, tu as le droit… Ils t'écouteront, toi… »

Père comprenait cette vérité cachée, il savait qui nous écouterions. Mais je n'en savais pas autant. Je partis parce que Soubodh me tira de là. C'est lui qui était capable de tenir tête à tous, en les regardant droit dans les yeux. Maman ne dit rien, ne fit rien.

Qu'il ait pu y avoir un certain mérite à ne pas se faire l'écho de ce que disait quelqu'un d'autre, à écouter simplement avec inertie ce que disaient les uns et les autres, je n'avais pas le loisir d'y réfléchir alors. M'eût-elle dit une fois : « Laisse tomber, Sounaini », que j'en aurais été paralysée, Soubodh en aurait été réduit à pester, mais je ne m'en rendais pas compte.

Maman resta muette.

Je partis.

Grand-père était mort.

Père passait son temps à blâmer Maman.

Souvent nous intervenions avec véhémence : « Pourquoi vous maltraitez Maman comme ça, à l'accuser de tout ? C'est nous qui avons fait ça. »

Soubodh était plus jeune que moi, mais il avait vu le vaste monde, il allait et venait seul, il rencontrait des gens de tous milieux, il conduisait le scooter de Père. Grand-père et Grand-mère prenaient ses opinions au sérieux comme un adulte. C'est lui seul qui avait le pouvoir de me faire quitter la maison.

J'avais quitté la maison en pleurant. Mais à peine assise dans le train, quand je vis le voyageur en face de moi enlever ses chaussures, y mettre son porte-monnaie et s'en faire un oreiller, je me mis à rire, avec Soubodh. L'allégresse de la vie nouvelle qui m'attendait ne pouvait pas me laisser froide. Une fois que le train se fut ébranlé, la maison disparut, des milliers et des milliers d'oiseaux m'appelaient de leur chant allègre, impatient, vibrant.

Durant cette première absence la maison ne me manqua pas trop. Il pleuvait dans ma hotte quantité de pièces neuves et trébuchantes, la peur et l'hésitation le disputaient à l'émerveillement et à l'enthousiasme. Tout me faisait peur, tout m'enthousiasmait. Pendant longtemps j'eus l'impression de jouer un rôle, le rôle de la personne seule et adulte. Traverser la rue en regardant à droite et à gauche, mettre la main dans la boîte à lettres et écarter le battant qui la fermait pour y glisser, en me haussant sur la pointe des pieds, une lettre à Maman, m'installer dans un rickshaw tout en répétant mentalement ma leçon – il faut aller à tel endroit... combien ça fait... prenez... Et il y avait la joie de me retrouver le matin avec toutes ces filles inconnues qui se brossaient les dents et se coiffaient.

Dans ma résidence universitaire il y avait eu la cérémonie du bizutage et on me fit marcher au pas, gauche droite, gauche droite, sous la bannière improvisée au haut d'une grande perche, bannière faite de ma petite culotte que Maman avait cousue de ses mains – en coton blanc, à dentelle, avec une cordelette – et les anciennes m'arrêtaient quand bon leur semblait : « Halte ! Une, deux ! Garde à vous !... Qu'est-ce que c'est que ça, la petite nouvelle ?

– Ma petite culotte. »

Moi aussi je me mis à rire, et j'écrivis tout à Maman en grand détail.

Soubodh était dans un autre *college* de l'université. Chez lui la discipline était plus relâchée et c'est donc lui qui venait me rendre visite le plus souvent. Les règlements de ma résidence, j'aurais pu en remplir un livre entier. Tout était réglementé – les moments où on pouvait sortir, combien de fois par semaine, combien de temps de vacances et congés, qu'est-ce qui était interdit, qu'est-ce qui était permis, il fallait faire la demande de sortie à l'avance, en rentrant le soir il fallait présenter son bulletin d'autorisation à la surveillante, si on ne passait pas par la « surveillante locale », impossible de sortir seule, si on passait par la « surveillante locale », il fallait présenter sa signature au retour, il fallait faire rapport sur tout et n'importe quoi, sur le moindre soupir, la moindre larme, le moindre pore de notre peau, le moindre pas, le moindre déhanchement.

Nous apprîmes toutes vite à être nos propres « surveillantes locales » et à fournir autant de signatures qu'on nous en demandait ! Ou bien, on sortait ensemble et à peine dehors, chacune suivait son chemin toute seule, pour nous retrouver au moment de rentrer. Nous avions bien un peu peur de tomber sur les surveillantes attitrées au bazar, que faire dans cette éventualité, mais c'était une grande ville, avec le monde entier, à l'infini, pas juste un bourg avec ses faubourgs. Comme notre audace, à l'infini !

Notre sécurité était assurée non seulement par la grande grille mais par la nécessité d'être rentrée avant huit heures du soir, après quoi le veilleur de nuit fermait l'unique porte de sortie de la résidence universitaire – la porte du *college* était à quelque distance de là. Et il fermait de l'extérieur.

À l'intérieur du bâtiment, les chambres étaient disposées sur les quatre côtés d'une cour intérieure. La porte était pourvue d'un petit guichet de cinquante centimètres sur cinquante par lequel on pouvait passer la tête et appeler à grands cris le veilleur de nuit, *tchaukidar, tchaukidar* ! Un jour il y eut un court-circuit dans les fils électriques, des étincelles, et, paniquées, on s'était toutes collées à la porte comme des moutons affolés en criant à tue-tête « Ouvre la porte, ouvre la porte, y a le feu ! »

Il y avait des règlements de toute nature pour veiller sur notre sécurité, dans notre résidence. Qui fumait des cigarettes était exclu du *college* (Dieu sait quel étudiant pouvait bien entasser tant de mégots de cigarettes dans les poubelles. Ou quelle étudiante). Quant aux filles qui frayaient avec les garçons… (les histoires d'amour il y en avait tant et plus, quand on passait par-dessus le mur crénelé de verre, en dépit du guichet de cinquante centimètres sur cinquante). Cela non, ceci oui (mais cela oui, ça pouvait être aussi cela non).

Un jour m'arriva une lettre d'amour d'un parfait inconnu – dans vos yeux bleus j'ai découvert non seulement la beauté mais l'intelligence, et les jours où j'ai le bonheur de pouvoir vous contempler je me sens béni, les jours où je n'ai pas ce bonheur j'ai des idées de suicide, avant-hier vous n'êtes pas venue jouer au badminton, un jour vous jouerez avec moi, est-ce que vous acceptez de me rencontrer, seulement pour une amitié intellectuelle, je n'insiste pas sur l'amour, c'est le feu dont parle Ghalib*… Je montrai cette lettre aux amies, s'il n'y avait pas eu ces yeux bleus et Ghalib, mes yeux noirs se seraient noyés d'émotion. Puis je me retrouvai dans le bureau du principal tête basse comme un coupable, la lettre sur son bureau, Soubodh, qui avait été convoqué pour la circonstance, debout de l'autre côté, et le fervent Krishna, auteur de la lettre, quelque part perdu dans le transport qui le poignait, flottant dans le rêve des yeux bleus.

Je reçus un avertissement.

Je racontai l'histoire à Maman. Un peu troublée, elle me répondit de faire bien attention, de veiller à ne pas donner aux gens la moindre occasion de me montrer du doigt, si ça jase autour de toi, ne t'en occupe pas, va ton chemin et ouvre l'œil, et écris-moi pour me dire si tu as besoin de quelque chose, dis-moi s'il te faut de l'argent, est-ce que tu as mis les boutons sur ta *kourta* ou est-ce que tu t'arranges toujours avec les épingles, veillez bien l'un sur l'autre Soubodh et toi, quand est-ce que vous revenez, Soubodh a écrit qu'il doit attendre deux, trois jours avant de venir, comment feras-tu pour venir seule ?

Quoi qu'il puisse m'arriver, rien ne pouvait émousser mon ardeur. Le souvenir de Maman certes m'assombrissait de temps en temps, mais quand je repensais à la maison, j'avais l'impression d'une prison.

Aux vacances, nous rentrions à la maison, auprès de Maman. Moi aussi je partais et revenais désormais comme Soubodh. Tous les deux nous attendions le train, debout sur le quai à la gare, aussi pleins d'enthousiasme dans la crasse ambiante que les rats qui gambadaient entre les rails, nos valises pleines de présents pour la famille.

Moi aussi j'étais maintenant au foyer universitaire. Entre les discours de Soubodh et le silence de Maman, on m'avait envoyée en ville. Pour que je puisse m'épanouir. Réussir. Avec tous les espoirs imaginables.

Je me souviens de cette petite poupée que j'avais commencé à fabriquer dans le cours de travail manuel, dans ma passion néophyte pour les arts de toute espèce, j'avais fait les jambes, j'avais fait le corps, je l'avais remplie de coton et cousue, je l'avais bien finie, elle était belle et bien proportionnée. Mais au moment d'ajouter la tête, tout ce labeur me parut vain. Le tronc d'un côté, la tête de l'autre, la poupée partit à la poubelle.

19

La maison, nous y retournions souvent, pour les fêtes de Holi, de Diwali, à toutes les vacances, pour être avec Maman, portant avec nous toute l'allégresse que nous donnait le vaste monde, dehors. Mais il y avait quelque chose qui avait commencé à changer, insidieusement.

Non que notre détermination à sortir Maman de là chancelât. Elle n'était plus si ferme. Elle était toujours là, absolument là, il fallait juste attendre d'avoir fini les études, de trouver un emploi, et alors on prendrait Maman avec nous, tantôt Soubodh tantôt moi.

Quand nous rentrions à la maison, nous l'emmenions promener beaucoup plus que par le passé. Nous lui donnions des leçons sur tout ce qu'il fallait faire hors de la maison. Au fond, nous aussi nous avions appris en sortant du nid, appris à prendre un billet, à faire des achats, à monter dans l'autobus.

Nous savions qu'il faudrait du temps pour tirer Maman vers le monde du dehors. Il faudrait le temps. Quand nous l'emmenions avec nous, réussissant tant bien que mal à la tirer dehors, elle retombait en enfance. Elle nous prenait la main pour traverser la rue, paniquait devant la foule, se mettait tout le temps derrière nous et tâchait de se rendre invisible.

Notre ville était certes petite, mais elle n'en était pas moins complètement de ce siècle, même s'il est malaisé de discerner comment s'y manifestait le progrès et sa cohue agressive de nouveaux objets. L'ancien objet n'avait pas encore disparu que son remplaçant était déjà là, et le remplaçant du remplaçant, et le remplaçant du remplaçant du remplaçant, jusqu'à ce qu'au dixième quelqu'un ne s'avise que le remplaçant n'avait pas que des avantages et que les inconvénients l'emportaient, mais il était trop tard pour revenir en arrière.

Notre petite ville aussi était condamnée à s'enticher du progrès, à cette époque. Cela sautait aux yeux dès qu'on voyait nos diverses salles de cinéma. Somptueux bâtiments neufs, spectaculaires éclairages, et parfois la climatisation – qui donnait quelque fraîcheur le temps que les spectateurs prennent place et que le film commence –, parfois encore l'ascenseur. Où Maman pénétrait en tremblant et se tenait prête, crispée de tout son corps, à bondir dehors à chaque étage quand la porte s'ouvrait.

Et comme si le comportement déclenchait l'événement, c'est Maman qui devait se faire coincer dans l'ascenseur un beau jour ! Il y eut une panne d'électricité, on se retrouva dans le noir entre deux étages, Maman, moi et un petit garçon, dans une chaleur étouffante. Rien que d'y penser j'en ai le souffle coupé comme si c'était vraiment la noirceur et la touffeur de l'enfer ; prise d'angoisse, je me mis à cogner sur la porte en fer en appelant au secours. Puis la lumière revint, mais l'ascenseur resta là où il était, en suspens. Le petit garçon avait dans les dix ou douze ans et il se mit à pleurer, « *God, my God*, qu'est-ce qui va arriver à mes parents, comment ils vont savoir. » On avait l'impression que le bruit qu'on faisait ne risquait pas d'arriver jusqu'aux spectateurs. En plus, le film aussi faisait un vacarme fracassant. Maman avait pris la main du petit garçon et lui avait dit que son fils les attendait en haut avec les billets, qu'il savait qu'on était dans l'ascenseur, qu'il le ferait débloquer, qu'il ferait appeler un technicien si besoin, et je me mis à crier d'une voix bien claire : « On est dans l'ascenseur, y a quelqu'un ? Soubodh ! »

Mais quand on sortait, la plus grande terreur de Maman, c'était les toilettes, pas l'ascenseur. Au-delà de la saleté. Elle poussait la porte du pied pour entrer et en ressortait n'ayant fait usage que de deux doigts et quasi évité de toucher quoi que ce soit, après quoi elle se frictionnait les mains avec littéralement une goutte d'eau – quand nous sortions, elle ne voulait pas bouger de là où elle était tellement elle était inhibée ; avant de partir, elle passait régulièrement par la salle de bains ! Si en dépit de ces précautions elle avait besoin d'aller aux toilettes ailleurs qu'à la maison, elle nous suppliait : « Eh, venez avec moi, s'il vous plaît. – Non, refusions-nous en affichant la sévérité la plus rigoureuse, vas-y toute seule, tu sais où c'est. » Elle continuait à protester qu'elle ne se souviendrait pas, toute seule, venez avec moi, d'accord seulement pour cette fois, mais venez.

Nous l'avions de même une fois plantée devant le guichet des billets avec force objurgations – « Toi tu vas prendre les billets. Tu as peur ? C'est justement pour ça. Après ça ira mieux. » Elle se mit à chuchoter comme une enfant. « Si vous m'obligez je le ferai c'est sûr, je n'ai pas d'autre solution. » Mais nous restâmes inébranlables. « Alors je ne sortirai plus avec vous, menaça-t-elle, allez-y. » Même alors nous restâmes intraitables. Finalement elle prit l'argent et alla au comptoir.

Mais la vendeuse lui avait à peine demandé ce qu'il lui fallait qu'elle perdit la parole. Elle tourna vers nous un visage indiciblement défait et la réponse fusa de la bouche de Soubodh sans même qu'il en fût conscient : « Trois, balcons. »

Ainsi était Maman, celle dont nous nous étions mis en tête de faire l'éducation, à qui nous avions à cœur de donner une chance de vivre sa vie. Les poings encore serrés sur une détermination qui datait de notre enfance – nous la sauverions, nous la tirerions de là.

Mais il y avait quelque chose qui s'était mis à changer insidieusement. Ou plus tard, ou plus tard que ce plus tard. D'une façon subtile, imperceptible. Sinon, ne l'aurions-nous pas empêché, ce changement ? Un léger dédain, une espèce d'impatience, un certain agacement, dans notre souci de Maman.

Nous avions fui. Nous étions désormais maîtres de nos mouvements et pouvions évoluer à l'air libre. Nous avions appris tant de choses. Même moi je savais à présent quelle est la peste qu'on appelle le Gros Ganpat Ray. La justice, l'injustice, l'égalité, l'inégalité dans le monde, nous avions passé tout cela au crible. Nous étions enfermés dans le prisme de nos visions personnelles comme dans une bulle, à tel point que tout ce que nous voyions nous apparaissait à travers ce prisme et de la couleur de cette bulle. Nous appréciions tout ce qui avait la couleur de notre bulle. Ou nous nous faisions un devoir d'apprécier tout ce que nous avions coloré à notre image.

Et quand l'image que renvoyait Maman montrait une certaine obstination à rester autre, nous vacillions sur nos bases.

Nous étions dans la vérité, nous comprenions tout et donc ceux qui étaient différents de nous, qui n'étaient pas comme nous, étaient dans l'ignorance, ne comprenaient pas. Et se trompaient.

Au bout du compte, Maman n'était pas comme nous.

Maman était quelqu'un qui portait le voile, le *pardah*. Je l'ai déjà dit, Maman était voilée, cela ne nous avait pas effleurés qu'il y avait une personne qui portait le voile. Il y avait ce voile, pour nous c'était tout.

Ce voile, nous le haïssions depuis notre enfance. Et un petit fragment de cette haine s'était dilué dans notre pitié pour Maman.

Elle ne voulait pas comprendre. Elle n'était pas prête à partir, à changer. Nous nous battions pour elle, souvent, et c'est elle qui trahissait notre alliance. Père, dont nous tentions de la protéger, c'est justement à lui, et de son plein gré, qu'elle cédait. Sa seule façon d'envoyer promener quelque chose de lui, c'était de secouer les habits qu'il abandonnait par terre en se changeant.

Prisonnière. Enfermée.

Encore que les amis qui venaient voir Père, après la mort de Grand-père et de Grand-mère, fussent souvent venus avec leurs femmes. Hôtes donc de Maman aussi.

Maman s'était mise à parler davantage que par le passé. Et pas seulement Maman, Père, aussi et surtout, s'était mis à parler, comme il ne l'avait jamais fait auparavant. Comme si les portes de la prison s'étaient ouvertes par le miracle d'une mort ! Maman s'était aussi mise à sortir davantage avec Père.

À cette époque, les chuchotements du soir aussi s'intensifièrent. Malheureusement nous avions grandi et ne pouvions plus intervenir en l'appelant dans notre chambre. Mais nous n'étions pas tranquilles, car nous étions persuadés que Maman n'était pas heureuse. Nous nous contrôlions, dans ces moments-là, percevant vaguement dans les chuchotements de la colère, de la douleur, de la suffocation.

Maman et Père ne se disputaient jamais. Les différends qui ébranlaient de leur écho assourdi la maison à notre propos ne provoquèrent jamais d'affrontement ouvert entre eux. Nous ne les vîmes jamais se disputer.

Ni se manifester de la tendresse.

Mais on les vit ensemble. Quand il y avait d'autres gens on les vit même rire et parler ensemble. Par contre ils n'étaient pas ensemble autrement – à l'exception du mystère de la nuit. Ils continuaient à faire chambre à part. Quand nous venions en vacances nous passions la nuit avec Maman dans sa chambre – la chambre de notre enfance.

Et pourtant, Maman restait toujours aussi soumise à Père. Penchée sur son travail, à moudre les épices, faire la cuisine, arrangeant une chose ou une autre. Nous la grondions, lui disions de penser à son dos, mais elle faisait la sourde oreille. Et elle obtempérait à tout ce que demandait père, avant même que la demande ne descende sous forme d'ordre.

C'en était au point que si nous nous montrions indifférents à l'égard de Père, elle nous montrait par son expression qu'elle était ulcérée. Elle nous disait parfois : « Maintenant vous êtes grands, vous vivez seuls, qu'est-ce qu'on peut vous dire ? Vous vous croyez seuls juges. »

Soubodh s'était déjà heurté à Père, lui parlant des principes d'égalité et du conservatisme féodal : « Vous dites sans y penser qu'une foule de gens sont là, ils vont rester manger. Avez-vous déjà essayé de réfléchir sur qui tout allait retomber, à la cuisine, qui est malade ? Vous vous souciez beaucoup de votre santé, pour saluer le soleil levant tous les matins, faire votre yoga et quantité d'autres choses. Mais avez-vous jamais pensé à la santé de ceux qui triment dans la cuisine ? »

Père ne répondit rien, mais Maman avait les yeux brillants d'humiliation : « On ne vous dit pas de devenir comme moi, pourquoi vous voulez me forcer à changer ? Les quatre murs de mon univers ne sont peut-être que du sable et ils s'effondreront peut-être d'eux-mêmes, pourquoi y ajouter vos coups de pieds ? »

Un jour, Père traita Maman d'ignorante, comme si c'était une chose toute naturelle. Cela fit remonter une histoire de notre enfance, une histoire douloureuse. Maman s'était fait traiter d'« illettrée » un jour au Club. Pouvions-nous aujourd'hui écouter sans broncher ces histoires d'ignorance et de connaissance ? Nous nous emportâmes : « C'est vous qui êtes un ignorant avec toute votre instruction, plein de superstitions que vous êtes. » Et d'ajouter en anglais, brutalement : « *You talk like a foolish illiterate* (Vous parlez comme un imbécile illettré). »

Maman nous gronda : « Vous vous croyez tout permis parce que vous savez l'anglais ? Vous croyez qu'on peut dire n'importe quelle sottise en anglais ? Si vous n'êtes pas capable de respecter votre père vous n'avez pas besoin de revenir ici. Restez en Angleterre ou où bon vous chante. »

C'est nous que Maman repoussait ? Quelqu'un qui veut rester dans ses chaînes, attaché, comment l'aurions-nous détaché ?

Nous ne pourrions pas faire d'une ignorante une personne avisée, voilà ce que nous ne disions pas, que nous ne concevions pas même clairement, mais que nous avions commencé d'entrevoir indirectement, en contemplant le coucher du soleil à travers les champs, silencieux, sur la terrasse en haut, dans notre solitude muette.

20

Nous n'aurions jamais pu penser qu'un jour Père traiterait Maman d'ignorante et que nous le penserions à l'unisson avec lui. Nous argumentions au contraire sur ce point contre Père.

Une fois, nous avions dit, je ne sais plus à quel sujet, que Maman n'était pas de son avis. Père avait grommelé, jetant un coup d'œil derrière nous, puis à notre droite, et à notre gauche, et avait répondu que quand on n'a aucune connaissance, aucune expérience du monde, on peut penser n'importe quoi. Et on n'aura peut-être pas une pensée rigide, mais pas non plus de maturité. « C'est pour ça, dit-il, que vous autres, les enfants, l'endoctrinez comme vous voulez. »

Nous devions en effet lui inculquer des choses, elle avait tout à apprendre, Maman.

Maman déambulait toujours comme une ombre dans la maison, toujours penchée mais pleine de charme juvénile, toujours occupée mais à de nouvelles tâches. Elle commença à s'entourer de brochures sur la broderie, la couture, le tricot, le jardinage. Les femmes des domestiques de la propriété se glissèrent désormais à l'intérieur par la porte de derrière. Tricoter avec Maman des pull-overs et des châles ou coudre à la machine. La boîte à couture de Maman restait dans la véranda, et avec elle, les fils, la laine, les bouts de tissu.

Le temps de la télévision était venu et en l'absence de Père les femmes et les enfants des domestiques venaient voir chez nous des films hindis. La balayeuse même débarquait avec sa cohorte d'enfants.

Tout cela aurait été inconcevable sous le règne de Grand-mère. Elle qui sentait l'odeur des balayeurs comme l'odeur d'une espèce congénitalement différente : « Le gouvernement a fait tout le monde égal, ah oui, et depuis quand qu'ils se frottent le corps avec des parfums hein ? »

Maman ne nous avait jamais rien dit sur les balayeurs. Leurs femmes et leurs enfants s'installaient à distance des autres pour regarder la télé. Mais quand Hardeyi dut partir dans son village, Maman, sans en rien dire à Père, donna la lessive à faire à la belle-fille outrancièrement parée de la vieille balayeuse, après lui avoir fait récurer ses mains devant elle au savon. Jusqu'au retour d'Hardeyi.

Maman accomplissait ces choses tout en restant invisible comme une ombre, sans se dissimuler, sans se donner l'allure d'une héroïne.

Elle n'avait peut-être pas de connaissances et pas d'expérience du monde, mais elle s'était mise à faire des choses complètement nouvelles. Elle s'était investie dans les œuvres sociales avec d'autres femmes du Club. La laine était achetée au marché de gros et les pulls tricotés avec cette laine allaient aux orphelins. On organisa aussi une fête au Club, avec des stands décorés, Maman vendit du halva de carottes, il y avait des stands de pêche miraculeuse, de musique, des loteries, toutes sortes de stands tenus par les épouses des membres du Club, transformées pour la circonstance en boutiquières, et l'argent collecté, toutes ces pièces sonnantes et trébuchantes qui tombèrent dans leur escarcelle, fut donné au foyer des veuves.

Quand la guerre éclata, il fallut soutenir le moral des troupes. Qui tressa des guirlandes de roses et d'œillets, qui apporta des *pouri*, qui des pois chiches, qui prépara du thé chaud dans de grandes théières qu'on chargea sur des carrioles pour les transporter jusqu'à la gare d'où partait le convoi, toutes les femmes étaient là. Les soldats souriant dans leurs uniformes militaires verts descendirent du train et les femmes décorèrent leur front d'un tilak* auspicieux pour les encourager, elles leur mirent au poignet le bracelet de protection des sœurs, le *rakhi*, les parèrent de guirlandes, leur donnèrent du thé, un petit déjeuner, et firent ainsi leurs adieux à ceux qui partaient pour le champ de bataille.

Ces dames, qui avaient lu *Femina* et *Eve's Weekly*, organisèrent même un jour un défilé de mode ! Nous n'étions pas là, mais Maman nous raconta, imitant comment les filles déguisées en modèles entrèrent en scène en balançant des hanches, défilèrent en revenant sur leurs pas comme des professionnelles, faisant flotter le pan de leur sari et rejetant la tête de côté pour envoyer un sourire éclair à la salle.

Mais nous, nous avions désormais le regard fixe, et l'image qui s'y était gravée au temps de notre enfance y restait telle qu'en elle-même. Sur cette image, on voyait Maman penchée, abattue, une ombre qui préparait à manger près du feu en se brûlant.

Nous nous précipitions sur elle : « Laisse tomber tout ça. Prends plutôt un livre. » Elle disait : « Laissez-moi d'abord finir mon travail, après j'aurais goût à la lecture. » Nous insistions : « Quel besoin as-tu de mettre toujours les petits plats dans les grands, il y a déjà deux plats que tu as préparés, ça suffit, c'est bien de toi de vouloir en plus broyer le chutney toi-même, faire frire des *papad*, ajouter un *raïta* au yoghourt, et un dessert sucré. »

Alors elle se cachait pour « mettre les petits plats dans les grands » loin de nos regards. Et nous, dès qu'on n'entendait plus le bruit familier de son mortier, qu'on ne la voyait plus, nous nous mettions à sa recherche, d'un bond, exactement comme tout le monde se lance à la recherche d'un petit polisson dès qu'il fait soudain silence, occupé qu'il doit être à quelque bêtise de plus.

Et nous ne nous trompions pas ! Nous la trouvions derrière sa porte, qu'elle avait fermée sans faire de bruit, en train de broyer les feuilles pour le chutney, d'écraser les légumes pour une purée, ou autre chose.

On riait. On la grondait. On était exaspérés.

Mais ce qui nous mettait réellement hors de nous était de la voir avec Père. Elle ne lui parlait jamais fort, levait rarement les yeux sur lui, mais elle lui réservait une intonation bien à elle. Et cette voix, elle l'avait aussi quand elle nous demandait de transmettre un message à Père, une voix dolente, pénétrée de la souffrance du martyre.

Elle avait aussi une autre manie qui nous agaçait. Quand Père recevait un invité, elle nous disait de baisser le volume du tourne-disque. Puis elle s'absorbait dans sa couture, sa broderie ou son tricot, mais tant que l'invité restait au salon, elle gardait l'oreille aux aguets. Et si par exemple Père s'embarquait dans des discussions politiques et déplorait qu'on ne puisse faire confiance à personne aujourd'hui, tous les mêmes, Ram à la bouche pour vous saluer et le couteau sous le bras pour vous saigner, Maman soupirait comme si elle avait été personnellement visée. S'il s'emportait sur le chapitre du droit, disait que la loi n'autorise pas les personnes de notre sang à faire main basse sur tous nos biens – « Dis-moi un peu frère, si mes propres enfants me montrent les dents je les tuerai pour me protéger ou non ? » –, alors Maman se recroquevillait sur elle-même, atterrée, comme si ce n'était pas elle mais Père qui avait demandé à baisser le son du tourne-disque pour lui permettre d'entendre ces menaces et de se méfier, de bien se persuader que la main punitive s'abattrait sur elle en cas de faute.

Elle avait encore une autre technique. Avant d'aller faire ses ablutions Père demandait systématiquement où étaient ses affaires de rasage, et elle restait plongée dans son travail comme si elle n'avait pas entendu. Silence. Il demandait une seconde fois, et elle disait, les yeux baissés, sur un ton blessé : « Là, sur le tabouret. » Le petit tabouret était dans la cour, prêt pour la toilette de Père, à côté de l'eau – en été, Père se lavait dehors, encore à présent, à l'eau froide de la pompe, mais elle savait que Père avait compris dedans, sur le tabouret de la salle de bains. Elle le surveillait du coin de l'œil, vérifiait qu'il se dirigeait vers le mauvais tabouret, mais sans quitter son ouvrage une seconde. L'éclair d'un instant une douce satisfaction venait s'imprimer au coin de ses lèvres. Père s'énervait de son côté : « Mais où diable il est, mon nécessaire à raser, pas là en tout cas ? – Je vous l'ai dit, dans la cour » ; toujours ce petit ton absent... « Ici », me surprenais-je à hurler. Père passait en grommelant et elle alors jaillissait hors de son siège, s'emparait du nécessaire à raser et le posait bruyamment devant lui avec ce commentaire : « Vous n'écoutez jamais rien... »

Nous aussi ce petit cinéma n'était pas sans nous sidérer. Maman faisait des jeûnes pour Père, elle veillait la nuit à préparer à manger pour ses invités, qu'est-ce qui lui prenait à elle qui était toujours prête à satisfaire ses moindres besoins ? C'était la guerre à sa façon ? Sa revanche à elle sur sa propre incapacité à lui tenir tête ouvertement ? Pourquoi ? La brûlure intérieure d'être toujours dans le don ?

Notre perplexité s'aggravait. Quelque chose faisait que je ne parvenais pas à en émerger complètement. À chaque fois qu'il s'agissait de « donner », je me souvenais d'elle comme d'une mise en garde terrible, non, reste consciente, ne deviens pas une martyre. Mais à chaque fois qu'il s'agissait de « prendre », je me souvenais d'elle et cela me culpabilisait. Je ne sais pas quel était son combat, quel était devenu mon combat.

Nous continuâmes à venir la voir, dans l'intention de l'arracher à la maison. Souvent c'est elle qui nous repoussait et nous envoyait mordre la poussière, et nous commencions à la regarder avec plus de distance, la pitié mêlée à un soupçon d'agacement.

Nous avions grandi.

De même que Soubodh avait grandi bien avant moi, nous avions grandi avant Maman.

21

Adjacent à l'enceinte de la maison, il y avait un vieux bazar, où nous n'achetions jamais rien – marchands de ferraille et de bois, petites échoppes de cosmétiques et de rubans, étalant toutes sortes d'objets en plastique rose et vert. C'était devenu le marché des pauvres.

Mais c'était là que donnait la porte d'entrée de la maison, que Père avait fait orner de grands lampadaires ronds, de chaque côté. Lampadaires qui s'éteignaient souvent, les pauvres. À cause du comportement capricieux de l'électricité dans notre petite ville quand nous étions enfants. S'il pleuvait fort, plus d'électricité, s'il faisait vent, baisse de courant, et dans les périodes de sécheresse, plus rien, nuit noire. Mais il arrivait quand même que les deux grosses lunes s'illuminent fermement, quand j'arrivais à grand bruit dans un rickshaw.

Dans l'enceinte de la propriété, rien n'évoquait la présence du bazar. Il y avait une allée de graviers, bordée d'une rangée d'arbustes, et notre maison, qu'on découvrait entre les arbres denses, jujubiers, manguiers, arbousiers, ficus, acacias, shisham*. On la blanchissait à la chaux à chaque Diwali, à l'entrée de l'hiver.

Je me souviens avant tout de ce qu'on mangeait à la maison. Raison principale peut-être de nos éternelles disputes ! Les souvenirs aussi reviennent sans crier gare, comme dans ces jeux où quelqu'un arrive par-derrière et vous met la main sur les yeux en disant : « Devine qui c'est. »

Et les souvenirs revenaient, encore et encore, les arbres où les tourterelles chantaient à l'aube, la route que traversaient les hérons le soir, en sautillant sur leurs deux pattes, la terrasse sur le toit de la maison d'où on voyait ondoyer les champs et d'où plus tard on entendait glouglouter la pompe à eau, le champ où nous allions chaque année, pour Dassehra, dans l'espoir d'apercevoir un geai à col bleu, nous réjouissant follement si nous l'apercevions. Remonta aussi le souvenir des palmiers où pendaient les nids des oiseaux tisserands. Le souvenir du parfum des fleurs d'acacia et de *shisham* aux derniers jours de l'hiver, la senteur délicate des fleurs blanches, fines, légères du margousier quand nous passions dessous. Le souvenir du miel qu'on faisait de ces fleurs. Des soirs fuligineux où montait la fumée odorante des feuilles mortes qu'on faisait brûler. Le bruit mat des margouses qui s'écrasaient par terre pendant la mousson et dégageaient une odeur chaude et sucrée. Des rossignols, des perroquets, et aussi un grand corbeau sauvage, rouge, venaient se percher sur le margousier qui s'inclinait vers la terrasse, pour manger les fruits verts. Parfois quand le vent soufflait, il embaumait, chargé du lourd parfum des fleurs de jaquier, parfois c'était une brise plus délicate qui soufflait le parfum des fleurs de bananier. On faisait du vinaigre avec les jamboses et on en mettait dans le dal à table, on faisait une pâte nettoyante avec du sel et de l'huile de moutarde pour s'en nettoyer les dents avec les doigts, un bonheur. À la saison des gombos, on allait les cueillir dans les champs et tout le corps nous démangeait après. Grand-père délayait de la farine de pois dans de l'eau pour en faire un breuvage, il s'asseyait près du feu pour se réchauffer les mains. Grand-mère y allait de ses plaisanteries grossières : « Un fils d'Anglais dit à son père : "*Pa, khana lag gaya hai* Papa, la table est mise" », avec son gros jeu de mots sur *pakhana*, « caca ». Les lamentations de Père sur ses maux de ventre quand il avait mangé des galettes de millet et d'orge. Et Maman… mêlée inextricablement à toutes les choses de la maison, pétrie dans nos souvenirs.

La bâtisse était ancienne mais faite de briques solides. Quand on arrivait en rickshaw, la première chose qu'on voyait, c'était Maman debout, Père près d'elle, assis dans un fauteuil, sur la véranda, qui nous attendaient.

Père était tout content et commençait par nous installer dans le living. La pièce de Grand-père avait été transformée en living. Il y avait toujours au mur les deux portraits de Grand-père et son poignard dans un fourreau de cuir. Mais Père avait accroché des paysages occidentaux de part et d'autre, dans des cadres dorés. À part le living, il n'y avait que l'autel domestique, la pièce où on faisait la *pouja*, dont les murs étaient ornés de tableaux. On n'avait pas encore intégré la notion de décoration murale pour les autres pièces. C'est dans le living qu'était installée la télé ; le vieux divan défoncé avec son sommier à ressorts avait été gratifié d'un nouveau couvre-lit, on avait mis des rideaux aux portes et installé sur la table deux hérons en bronze plantés près du vase en verre.

Père avait fait poser un paravent dans la véranda de Grand-mère et ainsi dégagé l'espace d'une salle à manger. On se servait désormais de tables et de chaises, ainsi que d'assiettes et de cuillères. Soubodh avait encore plus réjoui Père en lui rapportant directement d'Angleterre un service à dîner en porcelaine et un service à thé.

Attenant au living et à la salle à manger, il y avait la chambre de Père, celle de Maman, l'autel domestique, le débarras, toute une enfilade de pièces. Là où il y avait avant les stores de vétiver, on avait placé des *cooler* pour rafraîchir les pièces. Nous, les enfants, avions commencé à récupérer dans toutes les pièces les menus objets témoins de notre passé. À en décorer avec amour nos chambres d'étudiants. Des jouets en terre cuite achetés dans les foires de Diwali, les couvertures en soie brodées par Maman, le petit siège en rotin et corde tressée, les petites corbeilles pour servir le riz soufflé, le plat de métal ouvré, des verres. Je pris même le grand pot à eau de bronze ! Soubodh suspendit au mur de sa chambre, en Angleterre, un châle brodé de Grand-père et emporta à l'étranger les anciennes assiettes en métal avec les coupelles à fleurs pour être en mesure de servir un dîner authentiquement indien.

Père avait fait construire une nouvelle salle de bains avec des WC où on pouvait rester à méditer longuement en conformité avec les nouveaux usages de ceux qui vivent seuls ! Il y avait une fenêtre haute en face des toilettes, d'où on pouvait voir tomber en pluie les feuilles du flamboyant juste en face, au mois de janvier, comme une averse de lumière.

Même à cela, je ne sais comment, est associé le souvenir de Maman. Un jour, je ne me souviens pas exactement quand, Maman faisait sa toilette et elle m'avait demandé, de l'intérieur, de lui passer le talc. Elle avait ouvert le loquet de la porte, j'avais entrouvert et déposé la boîte de talc à l'intérieur. Maman était assise sur le tabouret en plastique, elle essuyait son corps mouillé. Dehors, les feuilles dégringolaient comme une averse de lumière. Elle avait des gouttes d'eau sur le dos et se frictionnait avec la serviette, la main passée derrière le dos. Bien énergiquement. Des deux côtés de la ligne qui partageait son dos de haut en bas.

Je me demande pourquoi j'avais trouvé étrange cette image du dos nu de Maman. Comme si je n'avais jamais imaginé qu'elle ait pu avoir un dos sous ses vêtements.

Voilà comment les souvenirs affluaient, simplement, une chose conduisant à une autre, les souvenirs de la maison. Des éternités après qu'on l'eut quittée.

L'enfance, est-ce vraiment un royaume sacré, pour que, quelle qu'elle soit, où qu'elle soit, on lui fasse un temple ? La maison, nous l'avions considérée comme une prison, associée à l'étouffoir. Puis nous avons commencé à y penser comme à une ombre protectrice. Comme à un lieu où aucun fantôme, aucune peur ne résiste, que nous ne puissions mettre en fuite.

Dans la maison, nous avions goûté à l'odeur de l'enfermement. À l'air libre, l'odeur s'était volatilisée, ne laissant rien d'elle. Comment se souvenir de ce dont on n'a pas conscience ?

La maison avait commencé à nous manquer. Séparément. Soubodh de son côté, moi de mon côté.

Quelque chose m'était arrivé, arrivé à moi seule, après l'enthousiasme de cette première fois, quand j'avais quitté la maison pour débarquer à l'air libre, dehors. La passion enthousiaste pour tous les apprentissages – tout ce qui est nouveau, tout découvrir, découvrir la nouveauté – s'était désormais amortie et assagie. J'étais de plus en plus indépendante, plus encore de Soubodh, qui devait sans doute devenir de plus en plus maître de sa vie, qui n'avait lui-même physiquement rien de Maman, de Grand-mère, de Tante, ni de moi. J'avançais dans ma liberté, affranchie même du désir de tout apprendre, de toutes ces valeurs, tous ces liens. Une passion farouche de réussir…

Dans le ciel grand ouvert, il y avait le petit oiseau, immobile, que Maman m'avait montré…

22

Puis vint le mal du pays, vague qui me roulait et me concassait.

À la mousson, quand la pluie giclait devant nos chambres, nettoyait la terre et puis repartait, j'avais le cœur en berne. Quand le palmier se balançait sous la brise et dessinait des ombres noires et blanches, j'appelais intérieurement : « Maman ! » Une pensée errante en appelait une autre et ce n'était bientôt plus qu'un flux de vagues roulant les souvenirs de la maison. Portant à mes lèvres une bouchée de dal, je repensais aux petits morceaux de mangue verte que Maman mettait dans le dal. Nous n'avions qu'à nous baisser pour cueillir les jeunes mangues de la terrasse à l'arbre où le pic-vert à crête rouge et aux plumes noires et blanches venait dans les matins d'hiver frapper avec son bec, toc-toc-toc. On restait immobiles et silencieux sur la terrasse pour le regarder, à l'endroit où les bourgeons de mangue embaumaient, sous les rameaux qui nous servaient d'abri pour surveiller tous ceux qui entraient et sortaient par le portail d'entrée, l'endroit où on écoutait Grand-père déclamer ses poèmes d'une voix de stentor, et Père monosyllaber d'une voix étouffée. Ensemble, debout tous les deux, nous écoutions, comprenant quelques bribes par-ci par-là. J'avais la nostalgie des soirées féeriques de la maison, magiques comme des jeux d'eau, et sur chaque souvenir s'étendait l'ombre de Maman ouvrant ses ailes pour me protéger.

J'écrivais à Maman. Tout y passait, je lui écrivais tout, ce que je faisais, ce que j'apprenais. Tout ce que je faisais était tellement extraordinaire qu'il était impossible de le raconter, même si j'y mettais tout mon cœur – absolument fantastique ! Sounaina fait ci, Sounaina fait ça.

« Tu as vraiment fait de ta fille quelqu'un de fabuleux, hein ? raillait Père. Elle n'a même pas fini son master, et voilà qu'elle part aux Beaux-Arts, sans rien demander à personne. »

Tante était venue les voir et avait posé la question : « On devient peut-être médecin avec un diplôme des Beaux-Arts, c'est ça ? »

Quand les gens demandaient ce que faisait Sounaina, réponse : les Beaux-Arts. Oui, oui, d'accord, mais elle fait quoi ?

Et Soubodh était en Angleterre.

Pourtant, Père continuait à m'envoyer de l'argent pour mes études. Je continuais à peindre mes tableaux ineptes où les angles de la maison partaient de travers et devenaient des choses bizarres sous l'assaut des coups de brosse. Les âmes errantes qui peuplaient la maison, dont certaines avaient des corps, et toutes se ressemblaient. Des blocs de chair épars gambadaient sur la toile. Ceux qui voyaient mes toiles étaient perplexes, avais-je voulu faire une personne ou plusieurs personnes ?

Bien plus tard, quand Judith vint à la maison et se familiarisa avec les choses et les odeurs de là-bas, elle fut frappée en nous voyant tous les deux avec Maman.

Nous l'emmenâmes sur notre terrasse. Elle me dit qu'elle parvenait à présent à situer mes tableaux, dans cette atmosphère intime, pleine d'affection mais étouffante. Quand elle regardait mes « âmes », uniques ou multiples, elle se sentait le cœur qui fondait mais en même temps ça lui donnait la nausée. « On est puissamment attiré par ces tableaux, mais on est aussi pris de vertige, en voyant cet enchevêtrement. L'endroit est devenu sang et chair dans tes couleurs, me dit-elle, mais la maison t'a fixé des limites. C'est parfait pour la peinture, ajouta-t-elle en souriant, mais pour la vie... Il faut sortir de là, fuir cet étouffoir, ou tu ne seras jamais libre. »

Nous qui croyions être sortis de là, croyions que Maman seule était prisonnière.

Pourtant, entre Soubodh et Judith, cela finit par la rupture.

Nous revenions régulièrement à la maison et fulminions en voyant l'inertie de Maman. Nous avions chaussé les lunettes d'un regard désormais mûr et acéré. Et donc, nous pouvions désormais identifier ses chaînes et les désigner par les mots justes. Le désir de l'extraire de sa prison pour la sauver avait traversé les mers jusqu'en Angleterre où Soubodh faisait ses études avec une bourse depuis plusieurs années déjà.

Il m'invita moi aussi en Angleterre et Père demanda à Maman jusqu'à quand j'allais continuer à aller sans but d'un endroit à l'autre.

Père s'inquiétait vraiment et se mit en devoir de me trouver un mari.

Mais certaines choses s'étaient déjà décidées d'elles-mêmes. Aussi, quand Père voulut m'emmener avec lui pour voir un parti possible, je refusai. Il invita une famille à la maison, je refusai d'apparaître. Maman me supplia bien : « Qu'est-ce que tu as à perdre à y aller, si le garçon ne te plaît pas, tu n'as qu'à dire non, ne faisons au moins pas offense à nos visiteurs, dans cette maison. » Je me rendis donc dans le salon, mais j'avais déjà tiré un trait sur le prétendant avant même de l'avoir vu, quelqu'un qui allait accepter ou refuser après m'avoir observée dans ces conditions et décidé avec ses parents de la liste des cadeaux à faire de part et d'autre.

Père implora Maman, les mains jointes : « Ne te conduis pas comme une folle, est-ce que c'est comme ça qu'on fait les mariages ? Si les mères s'en occupent comme tu le fais, toutes les filles seront déshonorées. »

Maman ne dit rien. Elle était bien entraînée à se taire.

Moi, j'étais bien entraînée à pleurer ! Je me mis à pleurer, non sans sourire à cette invraisemblance, être une fille indépendante, qui vit seule et libre, et être absolument incapable de sortir une parole de fierté entre deux sanglots !

« Mais enfin qu'est-ce que tu veux ? » demanda Père, furieux, à Maman.

Maman ne resta pas silencieuse. « Tu as déjà posé la question aux enfants ? » dit-elle posément avant de se lever et de quitter la pièce.

J'avais l'impression de n'avoir rien fait pour justifier la confiance de Maman, le peu que j'avais fait n'étant guère remarquable, et pourtant, je ne sais en vertu de quelle inspiration, elle me faisait confiance et c'est cette confiance qui me permit de supporter l'humiliation, je m'arrêtai de pleurer pour dire ce que je pensais, et je pris peur, qu'est-ce que j'allais faire, qu'est-ce que je pouvais faire pour ne pas décevoir sa confiance, quel exploit réaliser, non pour moi mais pour elle ?

Maman avait peur. Elle ne savait pas si la terre sous nos pieds était bien stable, et c'est pour cela qu'elle s'inquiétait. Mais pas parce que la terre sous nos pieds ne ressemblait pas aux terrains familiers rebattus autour d'elle et qui de ce fait avaient l'air sûrs. Pourtant, même avec cette peur, Maman ne me dit pas : « Fais ceci, ne fais pas cela. »

Certes, elle devait elle aussi vouloir que ses enfants se marient, que les lumières illuminent la maison, qu'y résonne le hautbois des mariages rituels, qu'y fusent les cris et les rires des petits enfants.

Elle avait sans doute nourri des espoirs en voyant pour Soubodh la délicieuse Noutane. Noutane était la fille d'un ami à eux, qui venait souvent voir Père. Nous la connaissions depuis l'enfance. Depuis la mort de son père, c'est son frère et sa belle-sœur qui s'occupaient d'elle et de sa mère.

Cette fois-ci, Maman elle-même me montra une lettre. « Ma chère tante, mon frère et ma belle-sœur insistent, Maman ne peut rien dire, et moi je ne peux pas m'opposer car je crains de lui faire de la peine, je veux me marier avec un camarade de classe, c'est un Khatri, frère dit qu'il va lui casser la figure... Et on vous a dissimulé que j'ai sur le dos des marques comme de la lèpre blanche dont on ne sait toujours pas ce que c'est... »

« Viens, allons-y », dit Maman.

Nous traversâmes le bazar et débarquâmes chez Noutane. Maman parla à sa mère, qui pleurait : « N'agissez pas à la légère, les enfants d'aujourd'hui ne sont pas comme nous, qui restions sagement à l'endroit où on nous mettait, si les enfants sont instruits, la contrainte peut avoir des conséquences désastreuses, si ta fille n'est pas d'accord, est-ce que tu veux faire de sa vie un enfer, commence par regarder les qualités du garçon, la caste, ça vient après, la seule chose qui compte c'est le bonheur de la petite. »

Et elle gronda Noutane : « Fais-toi soigner par un docteur. Et n'essaie plus jamais d'arriver à tes fins en te dévaluant. C'est des procédés de mendiant d'inspirer la pitié, de vous toucher avec des mains crasseuses, de quémander d'une voix plaintive, histoire de vous obliger à donner pour avoir la paix. Ne te rabaisse jamais à ce niveau-là. »

À part ça, Maman ne parlait pas.

23

C'est justement ce qui nous irritait depuis l'enfance. « Parle, Maman, bats-toi, sois ce que tu veux être. » Maman n'était pas de ce genre. Ombre penchée, muette, timorée, qui ne se mettait en mouvement que pour satisfaire aux désirs des autres. Nous étions pleins de compassion. Et aussi exaspérés.

Il y avait quelqu'un d'autre à qui nous ne réussissions pas à pardonner d'avoir laissé une personne devenir « Maman ». Parce que « Maman » nous semblait synonyme de « ne pas s'accomplir ». Pourquoi n'a-t-il pas laissé Maman s'accomplir vraiment, pleinement ?

Nous ne serons jamais des répliques de Maman. Je ne resterai jamais inaccomplie : cette certitude absolue, ce dur combat-là, telle était ma vie.

Quand s'introduisit dans mes tableaux un sari au pan tombant directement sur l'épaule droite, bien enveloppant, informe, sur une créature invisible, Judith se lança à nouveau dans une grande explication. La chose perdue dans ce pardessus informe est l'existence de quelqu'un qui n'a pas réussi à « s'accomplir ». Qui n'a pas eu le droit d'« être ». Une personne, si elle existe, qui existe dans le non-être. Dont l'absence est le mode d'existence authentique.

Judith m'avait suggéré d'intituler ce tableau « Combat ». Elle voulait que je peigne sur la toile une autre créature informe dont le visage eût été vide, mais un vide avec une légère ombre émergeant dedans. Qu'on ne distingue rien clairement, mais qu'on voie la trace d'une blessure profonde. Un signe balafre !

Quand j'étais petite, j'avais aussi eu une marque de ce genre sur le corps. Au cours d'un gros orage plein d'éclairs et de foudre, il y avait eu une coupure d'électricité, tout à coup plus de lumière. À cause de la tempête ! Dans la lueur tremblante des bougies et de la lampe-tempête, il me vint une idée de farce. Moi devant, Soubodh derrière, on avançait, et tout à coup je fis un bond de côté et me cachai dans l'embrasure de la porte, un lourd panneau de bois en moucharabieh. Le hasard voulut qu'il y eût un éclair quand Soubodh arriva, précédé par son ombre, qui m'apparut avant lui, à travers le moucharabieh. À sa vue je fis un bond en avant, « *Bouh !* ». Pile à ce moment, Soubodh ouvrit la porte, me fracassant le front.

C'est un symbole, disait Judith.

Quand elle venait chez nous, à la maison, Judith regardait tout avec des yeux écarquillés. Elle mangeait en grimaçant les gousses acides qui pendaient en lignes du tamarinier, quand Maman étalait la pâte au rouleau pour les *roti*, ça l'enchantait, quand Père accomplissait ses rites sacrificiels, elle allait s'asseoir à ses côtés, quand Bhondou hachait les feuilles de tabac, elle l'observait intensément. Et elle posait des tas de questions sur l'absence de papier toilette ! « Admettons, disait-elle, qu'il n'y a rien de mieux que l'eau pour se nettoyer, mais qu'est-ce que tu fais avec la partie du corps qui est mouillée ? »

À notre grand étonnement, nous n'avions jamais fait attention à ce détail, nous n'avions jamais non plus eu l'impression que l'eau gouttait de nos personnes.

Judith passa beaucoup de temps chez nous mais n'eut jamais envie de sortir de la maison et d'explorer la ville. Nous la traînions parfois jusqu'à la rivière, parfois chez un ami, parfois à l'ancien palais.

Cette année-là, la récolte de mangues avait été mirifique et Père nous avait tous emmenés au village de l'oncle Raghav, où nous nous étions installés dans la mangueraie pour déguster des tonnes de mangues locales, un grand seau posé devant nous, d'où on tirait les mangues rafraîchies dans l'eau avant de les sucer, comme faisait Grand-père. Père découpait d'ordinaire les mangues en rondelles et les mangeait à la cuillère après avoir ôté le noyau, mais les mangues locales ont leurs us et coutumes, il faut les sucer.

Père était content de la venue de Judith mais il voulait absolument faire comme s'il s'agissait de l'amie anglaise de Sounaina. Ce dont se fichait bien Soubodh – il s'affichait avec elle, en promenade, gai et insouciant, disparaissait des heures avec elle sur le toit en terrasse, passait un temps infini à discuter avec elle dans sa chambre et ne réintégrait la sienne qu'une fois tout le monde endormi.

Père se mit à presser Maman de questions : « As-tu tiré la chose au clair ? tire ça au clair, c'est ton fils, ces étrangères… hier elle fumait une cigarette. »

Maman ne tira rien au clair. Elle appréciait la nature conviviale de Judith. Judith lui demandait de lui passer le rouleau et la planchette pour essayer elle-même de rouler les *tchapati*. Maman était ravie et lui préparait quantité de plats de chez nous.

Le jour où Judith était arrivée, Maman avait sorti de son écrin le service à thé « incassable » ramené par Soubodh. Père avait dit de préparer des sandwichs à la tomate et au concombre, de bien veiller à servir à part le thé, le sucre et le lait, que chacun se servirait soi-même.

Hardeyi pénétra dans le living-room à pas craintifs. On lui avait fait à elle aussi des milliers de recommandations, rester debout comme ça, enlever les assiettes quand la cuillère est comme ça, servir par tel côté.

Nous étions intimidés. On entendait le bruit mat des cuillères et des fourchettes contre les assiettes en plastique. Je voulus alors plaisanter : « Vous voyez Judith, ça c'est le bruit creux de votre vaisselle, le jour où vous mangerez dans nos plateaux métalliques ce sera plus musical. »

Soubodh nous avait par la suite un peu grondés en aparté – « Depuis quand ces habitudes de petits-bourgeois prétentieux ? De grâce, tant que je suis là, ne déballez pas ces trucs là tout neufs. On mangera dans la vaisselle dont on se sert tous les jours. Et des plats indiens, notre cuisine traditionnelle, pas des côtelettes végétariennes ou autres importations culinaires. »

Maman jeta un regard sur Père, qui bredouillait : « *I never said...* » et baissa les yeux en silence.

Père voulait que Maman pose des questions, tire la situation au clair, nous nous voulions que Maman parle, qu'elle s'exprime.

« Que je m'exprime, qu'est-ce que vous voulez dire ? gémissait Maman, je ne comprends pas, qu'est-ce que j'ai à dire ?

– Viens t'asseoir avec nous et Judith, la conversation se fera toute seule. Elle s'intéresse à tout, parle de n'importe quoi, ce que tu fais, comment tu t'y prends, à quoi ressemble ta vie, lui expliquions-nous. C'est bien le style indien, commentionsnous, manger, à toute heure du jour, manger, manger, aucun échange avec les invités. »

Mais Maman resta à s'affairer dans la cuisine. Sans rien dire. Sans rien demander. Peut-être même sans rien penser. Simplement, quand Judith venait à la cuisine, elle était contente. Quand Judith fut sur le départ, elle la serra contre son cœur, lui donna du yoghourt sucré, fit tourner autour d'elle la lampe auspicieuse de l'*arti* et lui offrit un sari.

Père vint nous accompagner à la gare comme à son habitude, et s'assit dans notre compartiment un moment, histoire de voir qui étaient nos compagnons de voyage, quel genre de personnes. Comme à son habitude, il se mit à les dévisager, les déshabillant du regard comme pour percer à jour leurs intentions ! Un jour que nous objections, il nous répondit : « Une fille qui voyage seule, dans le monde d'aujourd'hui plein de voyous, il lui faut être très prudente. »

Le jour du départ de Judith, il lui lança tout à trac : « *This is India, trust no one.* » Ensuite il s'en prit à moi : « Où as-tu mis l'argent Sounaina ? Donne-le à Soubodh. Est-ce qu'il est dans un endroit sûr ? Dis-moi où il est. Soubodh, fais bien attention, restez bien ensemble, que personne ne découvre où est l'argent. Vous avez compté les bagages, combien vous en avez ? Dis-moi, ne descendez à aucune gare avant l'arrivée. »

À ce moment-là, les objurgations dolentes de Père me semblèrent empreintes d'une force inusitée et superflue.

Puis Soubodh se lia avec Ritika. Elle aussi vint à la maison et Père continua à se faire un sang d'encre. Il harcelait continuellement Maman : « Tire la chose au clair, demande-lui. Si demain ses parents viennent nous demander des comptes qu'est-ce que nous leur répondrons, Sounaina aura à en subir les conséquences, réfléchis. »

Mais Maman ne lui répondit rien, pas plus qu'elle ne nous demanda d'explications.

Ritika ne riait pas à gorge déployée comme Judith, elle était calme et timide ; elle s'ouvrit petit à petit, perdant sa timidité, et à mesure qu'elle s'ouvrait, Maman découvrait ses qualités. Maman, en fait, voyait ce qu'elle avait en face d'elle, sans chercher à fouiller plus profond.

Du reste, il y avait certains sujets qui fâchaient vraiment Soubodh. Si nous n'étions pas là et que Père en trouvait l'occasion, il soumettait Ritika à un feu roulant de questions sur sa caste, ses parents, sa famille, leur métier, etc.

Soubodh était furieux – « Qu'est-ce que ça signifie ? » Père répondit par un vague toussotement négligent, puis se mit à la recherche de Maman pour lui parler seul à seule.

C'est que nous, nous étions au-dessus des barrières de caste et de religion. Au-dessus de la tradition, des classes, et même des nations ! Nous n'étions pas superstitieux, nous n'étions pas religieux, nous n'étions pas fossilisés comme des petits-bourgeois, sans quoi nous aussi, on pourrait nous mettre sur la « table de dissection » et nous observer comme des spécimens d'étude clinique ?

Notre liberté était celle du dehors. À présent que nous n'étions plus des résidents permanents de la maison, nous y étions libres, même dedans. À l'étranger, nous étions évidemment des extérieurs et donc libres de faire ce qui nous chantait. Partout, nous étions « extérieurs », et partout, indépendants, seuls. Nous nous déplacions sans entraves au gré de notre désir. Nous traînions les autres sur la table de dissection.

Maintenant, l'envie me prend parfois de reprendre mes pinceaux pour peindre une toile supplémentaire. Où frissonnerait un corps dans un sari informe, au visage invisible, non pas parce qu'il n'y aurait rien dans ce visage, mais parce qu'il y aurait, dans les yeux de ceux qui regarderaient la scène, le vide.

24

Là où auraient dû être les yeux, il y avait un espace vide. Nous nous imaginions qu'il n'y avait rien en face de nous. Que d'aventure, l'espace d'un instant, nous croisions un regard, et nous en restions sidérés : comment avait pu s'animer ce lieu où il n'y avait personne ? Cette apparition, qui était-ce ? Pourquoi apparaître pour disparaître ensuite ?

Cela nous faisait frémir.

Comme l'apparition de Rajjo.

J'étais encore à la résidence universitaire à l'époque. Je rentrais de je ne sais où et le gardien m'avait dit que mon grand-père maternel était venu me voir. J'avais rejeté la tête en arrière en m'esclaffant. Quel grand-père maternel, quel message transmets-tu, de qui et à qui, imbécile, je n'ai rien qui ressemble à un grand-père maternel et je n'en ai jamais eu. Mais il y avait une lettre – « Ma fille… sois bénie… j'ai très envie de voir la fille de Rajjo… je reviendrai… ton grand-père. »

Rajjo ? Je ne connaissais aucune personne de ce nom. J'écrivis à Maman. Je reçus d'elle une réponse où elle me conseillait de ne pas sortir pendant quelques jours, que mon grand-père n'ait pas à s'en retourner sans m'avoir vue.

Quand je vis ce vieillard, un inconnu, pour la première fois de ma vie, mes mains allèrent spontanément toucher ses pieds en signe de respect. Il me releva et me serra sur son cœur.

Nous n'avions jamais pensé à cela, jamais imaginé que Maman ait pu avoir une vie avant nous. Être une petite fille qui s'appelait Rajjo. Être quelque chose de séparé de nous.

Je me retrouvais cernée dans une jungle de questions, dans un silence accablant. Et en guise de réponses, une torture muette.

Plus tard, Grand-père nous emmena avec lui, Soubodh et moi, dans une maison où trônait le portrait d'un saint homme, un mahatma au front orné d'un tilak, qui portait une guirlande de boules de santal, et dont le visage était parcouru par les ombres changeantes portées par les lampes à huile qui brûlaient devant lui.

Grand-père me poussa vers le maître de maison en lui disant : « Devine qui c'est. » La personne me regarda quelques secondes sans ciller, et toucha légèrement ma joue : « La fille de Rajjo, non ? C'est clair, le même visage, avec une tenue moderne, c'est tout. »

Soubodh et moi étions partis nous promener. À travers les ruelles, à l'assaut des collines, où sonnaient les cloches des temples tandis que le ciel rose s'évanouissait dans le pli de la nuit. Se perdait.

J'étais perdue. J'étais Rajjo. Me promenant à travers ces rues oubliées. Retrouvant les miens, ceux du passé. Dans ces lieux, avec ces gens, que j'avais quittés quelque part en route.

Et tout à coup, ce fut comme une illumination qui me secoua – et si je ne les avais pas vraiment quittés ? Et si je les avais emmenés jusqu'ici avec moi ?

Je poussai un cri, terrifiée. Quand Soubodh, assis à mes côtés, dit brutalement à une mendiante qui quémandait plaintivement en face de se tirer. Comme si, sait-on jamais, elle aussi… avait un jour vécu… dans mes ruelles anciennes… avec les miens, ceux d'avant… anciens… mais pas au passé ?

J'étais revenue à la maison. J'avais l'impression que si Maman me demandait comment ça s'était passé, je ne saurais pas quoi dire. Maman ne demanda rien. Je lui racontai spontanément, parlant comme s'il n'y avait rien de plus naturel.

Ensuite Soubodh serra les poings. Il convainquit Grand-père et, téléphonant à Maman, lui passa l'appareil. J'étais à côté de Maman à ce moment-là.

« C'est moi, Rajjo… Père… » La voix d'avant, d'il y a trente-cinq ans, jaillie d'une vieille femme courbée.

Tous les deux, le téléphone à la main, pleuraient.

Et l'opératrice dit, il y a trois minutes que vous parlez.

C'était la première fois que Maman pleurait.

Je restais interdite : je m'étais imaginé qu'il ne s'était rien passé d'autre que ce qui s'était passé devant moi. Qu'il n'y avait personne, rien, avant moi, rien qui m'était caché.

Mais j'avais bel et bien vu Maman pleurer pour la première fois. J'avais vu Rajjo pleurer dans Maman, et cette personne n'était autre que moi, moi en personne, moi exactement, simplement habillée à l'ancienne.

Soubodh amena Grand-père à la maison. Comment firent-ils pour se reconnaître, l'homme encore jeune de quarante ans et la jeune fille de vingt ans, dans le vieillard décati et la vieille femme courbée qu'ils étaient devenus ?

Père restait assis là, aussi ennuyé qu'embarrassé. C'est notre Grand-père paternel qui tempêtait et lui, il n'était plus là. L'action, c'était lui seul, Père se contentant de laisser faire.

Et nous, nous nous tenions dans un coin. Nous devenions de plus en plus petits, petits, plus petits que petits, nous devenions invisibles. Nous avions fait à Maman une place définitive dans notre vie où nous étions au centre. Mais à présent nous n'étions plus nulle part. Il y avait Maman et dans sa vie il n'y avait pas place pour nous, elle réintégrait sa vie, elle-même au centre, elle se ressoudait à ses fragments disjoints.

Personne ne nous vit. Nous nous éclipsâmes en douceur, en direction de la terrasse sur le toit, où nous avions passé tant et tant de temps dans notre enfance, anxieux de découvrir les choses. De là, nous tâchions d'entrevoir ce qui se passait dans le salon. Nous vîmes sortir par le portail celui dont nous ne connaissions pas l'histoire, dont nous ne reconnaissions donc pas l'existence.

Nous ne savions pas et donc nous ne voulions pas croire que Rajjo avait ici même un jour dit adieu à quelqu'un... pour quelle raison, à cause de qui, pourquoi ?

Soubodh eut alors cette parole inouïe, si incroyable que je n'en crus pas mes oreilles : « *How could she ?* Comment a-t-elle pu ? »

Il lui arrivait quelque chose de terrible. « Il n'y a pas pire tyran, éclata-t-il, et il n'y a pas plus niaise, innocente au point qu'on peut faire n'importe quoi avec elle, elle se laisse faire, comme si elle n'avait aucun recours que lui. Aucun homme n'a un tel pouvoir, aucune femme n'est aussi faible. »

Moi aussi il m'arrivait quelque chose de terrible. Maman, que je portais en moi, j'étais de plus en plus incapable de la blâmer. Comment me blâmer moi-même ? Comment ensuite vivre avec moi-même ?

J'avais moi aussi en moi la flamme de l'instinct d'auto-destruction, cet instinct, ce feu, qui étaient Maman. Je m'étais distancée de Dieu, des coutumes et des traditions, mais ce feu n'était jamais mort en moi, il était cramponné à moi et moi je paniquais malgré moi rien qu'à la pensée de l'extirper.

Le feu, je lui avais rendu culte moi-même. Donne-lui cela, Seigneur, prends cela de moi, prends, brûle-moi.

Là-bas, en Angleterre, Soubodh avait eu des évanouissements. Quantité d'examens médicaux, aucun résultat, l'horreur. Judith vint me voir, en larmes : « Pourvu qu'il ne lui arrive rien. »

J'avais demandé au Seigneur qu'il ne lui arrive rien, que je sois moi punie à sa place, punie de telle façon que moi seule souffre.

Confrontée à la question de la vie et de la mort, moi aussi je m'étais mise à faire des prières à un absent – « Mets le feu à ma vie, mais qu'il ne lui arrive rien. »

Puis Judith arriva, tout heureuse : « C'est bénin, il n'y a rien à craindre. »

C'était Maman qui me faisait prier pour être punie. Qui me donnait l'impression de me sentir coupable dès que je prenais quelque chose pour moi-même, me donnait l'impression d'être martyre dès que je donnais aux autres. Et refuser précisément ces deux choses, c'était tout mon combat.

Grand-père avait invité Maman. Au mariage d'un garçon de la famille.

C'est-à-dire le mariage d'un garçon de la famille de Maman ?

Nous étions prêts à partir avec Maman, mais Père n'eut qu'à lancer un regard à Maman pour tout bloquer.

Soubodh se mit à hurler : « C'est le père de Maman, qui êtes-vous pour agir ainsi ? »

Père réussit à aligner deux mots : « Ta mère est assez grande pour comprendre. Il y aura d'autres personnes à ce mariage. Ce n'est pas des choses qu'on peut expliquer aux enfants. »

Je regardai Maman. Silencieuse. Elle n'écoutait pas.

Je savais, mieux que Soubodh, que c'est nous qui étions les perdants. Celle qui veut se sacrifier et se détruire, comment la sauver ? Celle qui s'est fait un point d'honneur d'en rajouter à l'oppression de celui qui l'opprime, comment pourrions-nous l'éduquer ?

Nous qui pensions que la dignité consiste à prendre ce qui nous convient, qu'elle peut même consister à le voler.

Elle était un pantin, nous avions grandi à la voir manipuler par tant de gens qui en tiraient les ficelles.

Mais il ne nous venait pas à l'idée qu'elle pût rester entière sans se défaire en morceaux, en dépit de tous ceux qui tiraient les fils à eux, qu'elle continuât éternellement à se laisser tirailler et maintînt elle-même le fil de son équilibre, ployant seulement, le dos courbé.

Cela nous avait rendus fous – plus Maman était perdue et plus nous cherchions désespérément à la sauver. Follement désireux de la sauver d'elle-même. Comme si nous étions recrutés à ce poste étrange et déployions des efforts insensés pour rester cramponnés à ce poste.

Puis ce fut la rupture entre Judith et Soubodh, et dans les accusations dont elle accabla Soubodh il y avait celle-ci : « Toi et ta sœur, votre vie n'a qu'un centre – Maman. »

25

Il y eut un changement graduel en Soubodh. Je ne sais pas très bien de quand date ce changement. Il était à la base même de cette relation, où nous étions les sauveurs, et Maman la proie piégée. Au fur et à mesure, perdant patience, il en vint à dire qu'il n'y avait pas moyen de sauver celui qui ne veut pas se sauver, à quoi bon faire front et crier, nous ronger nous-mêmes les sangs, allons-nous-en, occupons-nous plutôt de faire notre chemin.

Maman nous avait vraiment menés en barque. Elle avait souvent montré ses faiblesses dans le combat. Elle s'abritait derrière nous, nous nous battions, et tout à coup découvrions qu'elle était en fait aux côtés de celui contre qui nous la défendions bec et ongles. Nous battions en retraite en maugréant que Maman avait changé de camp.

Une pauvre innocente, faible, opprimée, qui s'est enlevé à elle-même tout bien propre et s'est vidée, ouverte intégralement. Dont les autres peuvent à leur gré remplir le vide.

Ils ne s'en privaient pas, et c'est ce qui était totalement impardonnable. Soubodh eut cette formule dépitée : « Sous couleur d'affection maternelle on a érigé en divinité une coquille vide. »

Nous voulions opiniâtrement que Maman expulse d'elle le feu dont tout un chacun s'était débarrassé sur elle et qui la torturait. Mais pas pour l'éteindre, ce feu. Pour qu'elle en fasse la lumière des torches que nous lui tendions. Qu'elle devienne ainsi une personne à part entière.

Quand arriva l'appel pour Rajjo, d'un lointain téléphone, Soubodh resta sidéré : « *How could she ?* »

Rajjo avait disparu, et nous en étions consternés, mais la raison de notre colère était qu'elle ait elle-même permis cela, qu'elle se soit laissée disparaître.

Nous étions, nous, accaparés par l'ardeur arrogante de la vie, dans le dur égoïsme de nos désirs et de nos espérances. Nous étions d'une génération combative et n'admettions d'autres combats que les nôtres, peut-être même en vérité ne reconnaissions-nous d'autres personnes que nos semblables. Qu'il puisse exister d'autres personnes, cela ne nous effleurait pas ! « Exister » ne qualifiait que nous !

Nous étions fiers de la force immense de l'« individu », nous nous enorgueillissions de la fougue de la jeunesse. Même moi je n'avais pas peur du tout d'être autonome, seule et libre, alors que tout était plus ou moins branlant autour de moi.

Peut-être y avait-il là une couverture de protection que nous nous tricotions depuis l'enfance. Elle nous était devenue si chère que nous ne nous souciions pas même de la forme que nous lui insufflerions. Nous étions tout occupés à bousculer les autres pour préserver cette protection.

Ce qui n'était pas bien difficile. Parce que nous n'avions pas une mère et un père uniques à qui nous attacher aveuglément et à suivre sur tous les plans ! Nous avions des parents multiples, et il nous était difficile de savoir quelle était notre langue, notre alimentation, notre tradition. Dans ces circonstances, nous pouvions bousculer tout le monde.

Et c'est ce que nous faisions avec violence. Nous bousculions.

Même Maman. Celle que nous voulions sauver, que nous voulions faire se battre elle-même pour elle, elle nous exaspérait bien souvent.

Mais il y avait une différence entre Soubodh et moi, apparue si progressivement qu'elle en était insaisissable. Nous avions le même feu de l'enfance qui courait dans nos veines et y palpitait. Mais j'avais aussi dans ce feu des braises, qui s'étaient mises à couver, isolément, secrètement. Discrètement.

Notre « nous » avait perdu de sa clarté. C'était parfois nous deux, parfois seulement moi, et alors on devenait lui et moi.

Peut-être était-ce lié à la différence des sexes.

Moi aussi je me découvris un certain rejet vis-à-vis de Maman. Mais non sans larmes. Non sans découragement. Alors que Soubodh s'éloignait, en colère, car ce n'était pas dans sa nature de rester à subir dans l'impuissance.

J'étais moi-même misérable. Les chaînes étaient en moi et j'étais incapable de les briser. De peur de me briser moi-même.

Soubodh n'avait pas besoin d'en passer par là.

Une fois où Maman se mit dans le camp de son ennemi lors de je ne sais plus quel conflit, Soubodh lui dit, cramoisi : « Le vrai combat que tu as à mener, c'est contre toi. »

Il n'ajouta rien, et le soir, quand nous nous retrouvâmes tous les trois dans notre chambre, il dit à Maman : « Maintenant je ne bougerai plus le petit doigt. À toi de te battre. À force de prendre ton parti et de te soutenir on t'a affaiblie encore plus. C'est à toi de parler.

— Je n'ai rien à dire », répondit Maman de sa voix tranquille.

Ce calme déclencha une vraie tempête chez Soubodh qui se déchaîna et hurla dans le silence de la nuit : « Il va falloir que tu parles. »

Ce fut sans doute la seule fois de ma vie où je lui fis sentir avec autorité que j'étais plus âgée que lui, et où je pensais qu'il ne lui fallait pas parler.

« *Shut up* Soubodh. »

Il suffit parfois de l'effet première fois pour avoir un impact.

Sur cette terrasse où les branches du manguier se penchaient affectueusement vers nous, et d'où nous avions observé tant de choses depuis ce fouillis de verdure, ce fut soudain le monde à l'envers. Notre enfance s'était écoulée dans la maison et nous avions ardemment souhaité la quitter. Nous l'avions quittée et nous y revenions souvent, perturbés. Quand nous y restions un peu, la maison désormais nous semblait étouffante et anxiogène.

Cette impression était nouvelle. Mais ancienne. Enfuie. Mais pas passée.

« Elle s'est elle-même transformée en faible. La vraie fautive, c'est elle. Accepter l'oppression c'est créer l'oppresseur. Qu'elle se débrouille, nous, on a nos propres combats à mener.

– Elle ne s'est encore jamais battue… » Je voulais la sauver. De Soubodh ? Mais je ne poursuivis pas.

« Il ne se passera jamais rien, tout est pourri ici », décréta Soubodh en forme de fatwa.

Je le regardai, dans la plus totale confusion. Sa suffocation à elle était aussi ma propre suffocation. Mais… Pourtant…

« À quoi tu penses ? » me demanda Soubodh.

C'était la mousson et je me souviens que c'était un soir de brume. Il y avait une petite mare en contrebas, près du logement de Hardeyi et Bhondou. Des bouts de branches mouillées, effrayantes, et des buissons lorgnaient sur l'eau noire, à moitié morts. Près de la mare, il y avait un banc de bois tout cassé, renversé, l'air accablé de découragement.

Nous avions entendu dire que le fils de Hardeyi et Bhondou était mort. Il avait de l'asthme. J'en garde un souvenir vague, petit garçon au crâne chauve, au ventre gonflé, au nez qui coulait. Avait-il grandi pour ça, devenir asthmatique, et mourir, et qu'on l'apprenne, sans rien vraiment savoir de lui.

« Je pensais à Gopi.

— Gopi ? fit Soubodh avec une légère irritation.

— Qu'il était là et on ne savait même pas son histoire.

— Et alors ? fit Soubodh en haussant les épaules, il y a beaucoup de choses qu'on ne sait pas. »

J'eus l'impression qu'un tunnel s'ouvrait, mais lequel ?…

« *I feel confused.* »

Soubodh posa doucement sa main sur mon dos, dans la brume vespérale : « Viens en Angleterre. Rien ne peut bouger ici. »

Et, à la vue de mon visage sérieux, il se mit à plaisanter : « C'est le problème avec toi. *You have confusion when you should have vision.* »

26

Tante était venue, pendant des vacances. Elle aussi allait aux réunions des femmes du Club avec Maman. À part ça, elles n'avaient pas changé – Maman, toujours courbée malgré la ceinture qu'elle portait désormais, Tante, toujours à faire les mêmes discours.

« Quand est-ce que tu la maries, Sounaina ? » demanda-t-elle à Maman en ma présence.

Maman évita la question d'un sourire.

J'eus l'impression que j'étais toujours au même endroit, cet endroit où je n'existais pas. On parlait de moi absolument comme si j'étais absente.

Une histoire immémoriale, qui me paralysait, mais aussi les propos inopinés de Tante, toujours est-il que je me retrouvai muette, gênée. Agacée aussi, parce que c'est l'usage que les filles se taisent, intimidées, quand il s'agit de leur mariage !

À ce moment-là, on était en train d'arracher les navets dans les champs. Tante s'était sali les pieds dans la boue et, abandonnant sa sandale pour se laver le pied, en oublia son propos.

Mais cet instant était resté gravé dans ma mémoire. Un bon moment avait eu beau passer, j'étais toujours en train de formuler une réponse ferme et bien sentie – « C'est elle qui décidera ou moi ? »… « Pourquoi vous lui demandez à elle ? »… « Demandez-le-moi, à moi, je prends mes propres décisions »…

Puis Tante me posa directement la question : « Qu'est-ce que tu fais en ce moment ?… Qu'est-ce que tu envisages pour l'avenir ?… » Derrière ces minuscules petites questions de rien criait la question véritable : « Quand est-ce que "ça" se passera ? Quand commenceras-tu ta vie ? »

Soubodh explosa : « Des intentions pour l'avenir ? Qu'est-ce que ça veut dire ? Elle fait en ce moment ce qu'elle a à faire, tu as vu ses tableaux ? »

Tante se mit à rire : « J'irai voir ses tableaux quand ils décoreront les murs de sa maison. »

À quoi Soubodh rétorqua, la voix pleine de colère : « Ils sont déjà accrochés aux murs de sa maison.

— Hum, fit Tante obstinément, il n'y a aucune maison qui soit sa maison, pas plus celle-ci que celle où elle est partie habiter. »

J'étais prête au combat mais encore une fois ne fis rien.

Il ne me restait plus aucune échappatoire qui ait l'air naturelle. Si je montais au créneau, cela aurait l'air purement réactionnel, si je me taisais cela reviendrait à accepter qu'on me marche sur les pieds. Et je restai désemparée dans ce « qu'est-ce que je fais ».

C'est Maman qui fit taire « Bibi-ji ». « On n'en finit pas comme ça avec la maison, pour personne. En quoi cette maison n'est pas sa maison ? »

De nouveau, l'envie me prit de porter une *bourqa* en face de Tante. Quand je la voyais apparaître sur mon chemin, je voulais m'esquiver sur la pointe des pieds, histoire d'éviter ses questions sur mon avenir. À tel point que je me mis à angoisser face à la balayeuse, à Hardeyi, à tout le monde – de peur qu'elles aussi ne posent la question à Maman, à l'exemple de Tante, en ma présence d'absente.

Mais Maman n'était pas troublée. Elle disait avec calme : « Le principal, c'est d'être autonome et bien d'aplomb, par les temps qui courent, si elle apprend ça, tout le reste suivra, tout ira bien. »

Je me plaignis de Tante à Soubodh. Il me tapota affectueusement l'épaule en me disant : « Ne t'en fais pas Souni, qu'est-ce que tu as à voir avec cette maison ? »

Mais Tante ne l'entendait pas de cette oreille. Quand elle vit une fille nue dans mon carnet d'esquisses, elle se voila la face en disant : « Ram Ram ! »

Ce qui fit sortir Soubodh de ses gonds : « Qu'est-ce que vous imaginez que c'est, Tante ? Vous acceptez aveuglément comme une révélation divine les absurdités qu'on vous a mises dans la tête. »

Cela ne plut pas à Tante : « Oui Monsieur. À toi maintenant de m'apprendre qu'est-ce qui est bien, qu'est-ce qui est mal. La solution, c'est de se promener tout nu comme dans les temps préhistoriques, comme ça on sera censés être civilisés, hein ? »

Ils étaient tous les deux butés sur leurs positions.

Soubodh avait pris les armes non pour Maman, mais pour moi.

« Que votre déesse soit nue, ça vous est égal. C'est une déesse, donc ça ne se voit pas », lança Soubodh. Il faisait allusion à ces calendriers illustrés d'images provocantes de Lakshmi, Saraswati, Dourga, offrant à l'œil leur corps à peine voilé par des vêtements fins, quasi transparents et bien moulants.

Mais quand il ajouta : « Vous autres, vous vous vengez des crimes de vos belles-mères en humiliant toutes les jeunes filles, vous n'êtes que des boîtes vides qui font du bruit avec ce qu'on leur a mis dedans », Tante se décomposa sur-le-champ.

Maman réprimanda discrètement Soubodh, lui suggérant de s'exprimer avec modestie.

Moi, j'étais juste capable de regarder alternativement les deux combattants. Je me contentais de regarder.

J'avais demandé à Maman, puisque Tante et elle étaient amies, pourquoi elle ne lui parlait pas. Et Maman me raconta l'histoire de la belle-mère de Tante, qui avait quitté sa belle-famille quelques jours après le mariage, s'était enfuie chez ses parents, que son mari était venu reprendre, qui avait refusé de partir, refusé avec la dernière énergie, sans vouloir dire pourquoi, bouche cousue. Son mari plaça dans sa chambre une grande photo d'elle, et fit tourner devant la lampe rituelle de l'*arti* tous les jours. Il emmena leur fils, c'est-à-dire Oncle, la voir, mais elle refusa de revenir avec lui, refusa avec la dernière énergie. Le mari, c'est-à-dire le beau-père de Tante, mourut en laissant au nom de sa femme une enveloppe fermée. Il avait demandé par écrit qu'elle accomplisse les rites funéraires. Ce qu'elle fit. C'est alors qu'elle rencontra Tante, quand elle revint au foyer conjugal. Mais elle resta muette, bouche cousue. Elle se contenta de concentrer son autorité sur Tante.

« Les désirs réprimés ne donnent pas la liberté de faire et dire n'importe quoi.

– Non.

– Alors à quoi ça sert de comprendre, si on n'agit pas quand on a compris ?

– S'il s'agit de comprendre, il faut comprendre tous les points de vue, continua Maman, et si je comprends tous les points de vue, ça devient difficile d'agir. »

J'étais furieuse de voir la défaite qu'exprimait son visage. Mais aussi de voir le triomphe qu'exprimait celui de Soubodh.

Défaite, victoire, j'en étais venue à les voir comme des tortures. Si j'étais du côté des gagnants je me sentais coupable, si j'étais du côté des perdants je me sentais martyre.

Donc, je me contentais de regarder, de chaque côté.

Puis un jour, Tante nous rendit visite, en rentrant d'un voyage. Elle me dit : « Viens, je voudrais te parler. » Et elle m'entraîna dans un coin. « Écoute, je sais que tu aimes énormément ta mère. Si par malheur tu prenais une mauvaise décision, que deviendrait la malheureuse ? »

Je compris, d'un coup, que la nouvelle de mes relations avec Ehassan avait d'une manière ou d'une autre transpiré.

« Les filles ne peuvent se lier d'amitié qu'avec des filles. Tu ne te souviens pas de Nita… ? »

Je repensai à Nita. Dont Tante se gaussait depuis notre tendre enfance – « Oh je la connais, cette amitié entre filles. Une fois adulte, je te demanderai où elle est passée cette amitié censée ne jamais se briser. Comment ça se fait que tu n'es pas avec la personne dont tu prétendais que le lien devait durer toute la vie ? »

… « Dis-moi un peu… continuait Tante.

– Je n'ai rien à dire.

– C'est ta Mère, si elle me pose la question, qu'est-ce que je lui répondrai ? »

Ce fut comme si toute ma fierté se redressait sous le coup de l'humiliation, en position de combattant – « Maman ne vous posera pas la question et si j'ai quelque chose à lui dire je lui dirai moi-même, sans passer par vous. »

Furieuse, je quittai la pièce, pour tomber sur Père à la porte, l'allure préoccupée.

« Oh, je comprends », fis-je en le transperçant du regard, avant de me précipiter auprès de Maman. J'ouvris la bouche pour exprimer ma rage, et fondis en larmes.

Maman prit la chose au sérieux. « Tu sais bien que je n'envoie personne faire l'intermédiaire », me dit-elle, et elle partit au salon, où étaient les deux autres, soucieux.

« Vous faites confiance d'abord à qui, aux vôtres ou au reste du monde ? »

Et elle partit, emportant quelques tasses et soucoupes.

Je restai sidérée. Cette confiance inébranlable, rien ne pourrait l'entamer. Soit il n'existait aucun Ehassan, soit s'il existait, il n'était pas mauvais.

Quand Soubodh revint, je n'avais pas envie de lui parler. Il se mettrait en colère contre tout un chacun.

Mais Tante avait touché une corde sensible, et l'ambiance s'en ressentit. J'étais grande à présent et Nita n'était plus là, il y avait Ehassan à présent et Tante disait que cela aurait dû être Nita.

J'avais bien observé Maman, avec calme. Rajjo avait-elle une amie ?

Et il m'apparut soudain qu'il y avait un secret derrière lequel les amies, toutes, celles de Grand-mère, de Tante, de Maman, les miennes, s'évanouissaient. Que derrière les humeurs impériales de Grand-mère, les dénigrements de Tante, la sérénité de Maman, et mon ardeur moderne, il y avait ce même silence où s'était engloutie l'impuissance devant une loi à sens unique, et où s'était abîmée Rajjo…

27

Père était content que Soubodh soit à l'étranger et que je sois allée le voir, mais il se sentait désormais dépassé par la situation. Il ne savait pas se battre et Grand-père n'était plus là pour résoudre tous les problèmes en tempêtant. Quant à Maman, on la manipulait dans tous les sens – quand Judith vint chez nous, Père vit de la fumée de cigarette et y trouva la confirmation de son idée, les coups de gueule de Soubodh en étaient une preuve supplémentaire, ma peinture un témoignage de plus, partout il ne voyait que des illustrations de la sottise de Maman.

Mais quand il entendit parler d'Ehassan, il fut pris d'une véritable angoisse, d'un désespoir total. Il ne cessait d'adjurer Maman : « N'encourage pas les enfants dans leurs folies, fais quelque chose. » Nous, nous ne cessions d'adjurer Maman : « Tu encourages Père en te taisant, parle, bats-toi. »

Il y avait bien des choses que nous ne pouvions pas lui dire, que depuis l'enfance nous n'osions lui demander. Priyavadam Samant avait salué Maman au Club un jour, devant nous, et lui avait dit : « Comment allez-vous, Madame Tiwari, l'autre jour nous avons vu de loin Monsieur Tiwari avec quelqu'un, à

Lucknow, je me suis dit que c'était vous et me suis approché, sans doute était-ce une personne de votre famille. »

Maman resta impassible : « Non, je n'ai aucune famille à Lucknow. »

Soubodh et moi, nous passions de temps en temps devant cette maison en rickshaw mais ne revîmes jamais le cardigan tricoté par Maman.

Nous n'avions pas renoncé à dire à Maman : « Viens, pars avec nous. Même en Angleterre. » Soubodh s'énervait de temps en temps – « Laisse tomber, on ne te dit plus rien » – mais ensuite, un billet de cinéma par-ci, une sortie par-là, un livre, son insistance à la sortir.

Mais qu'est ce qui m'arrivait ? Je n'aimais pas entendre crier. Pas même Soubodh. Pourtant, s'il perdait, je voulais qu'il gagne, s'il gagnait je voulais qu'il perde.

Père était absolument incapable de rien nous dire mais il ne cessait de prêcher à Maman, « Tu ne sais rien et c'est pour ça que tu acceptes n'importe quoi, tu roules d'un bord à l'autre comme l'aubergine dans l'assiette. »

Pourtant c'était Maman et non pas lui qui savait que, quand Judith était là, nous avions fait une *punch party* sur la terrasse. Lui, il ne savait pas que Maman nous laissait préparer du poulet et du poisson dans la cuisine, donnant congé à Hardeyi, à la condition que nous laverions nous-mêmes les plats à la cendre, et que nous ne toucherions pas à l'huile et aux épices avec des mains qui avaient touché à la viande. Et dire que c'est elle que Père considérait comme une ignorante entre nos griffes ! Il avait l'impression qu'on lui faisait faire tout ce qu'on voulait.

Quoi qu'on puisse dire à Maman, elle ne refusait jamais, mais ce qu'elle faisait, elle, c'était une autre question.

Elle restait muette et maintenant Père aussi trouvait ce silence préoccupant. Il avait l'impression qu'en refusant de voir et d'entendre elle nous encourageait dans la mauvaise voie.

Père ne la lâchait pas : « Essaie de savoir qui est cet Ehassan. »

Au début, elle répondit : « Ça doit être quelqu'un qui travaille avec elle, elle rencontre sûrement beaucoup de gens, ils ne peuvent pas tous être de la même caste que nous. »

Il se fit vraiment insistant et alors elle se tut, s'absorbant dans son travail, écoutant, puis au bout d'un moment elle sortit pour aller faire quelque chose ailleurs, sans rien dire.

Je montrai à Maman la photo d'Ehassan, debout sur les rochers du Ladakh : « Il est sculpteur Maman, il fait des statues, dans mon Institut. »

Et il y avait Père qui n'arrêtait pas de demander : « Il faut savoir qui est ce garçon, qu'est-ce qu'il fait, comment il a fait sa connaissance, finalement il est musulman... »

Il s'était mis à angoisser à un tel point que, lorsque Soubodh lui dit : « Je ne veux plus revenir ici », je me dis, finalement, tant mieux, puisque c'était en nous voyant que les angoisses de Père devaient s'exacerber.

Peut-être est-ce dans ces tourments que Père passa au degré supérieur dans ses fréquentations des renonçants et maîtres spirituels. Dès le petit matin, il ne faisait pas encore jour qu'on heurtait bruyamment au cadenas de la grille d'entrée. Qui était-ce ? Maman se levait. Le gardien de nuit, lampe-tempête à la main, arrivait au galop et disait : « C'est Aughar Baba. » Maman lui remettait la clef, le cadenas s'ouvrait et le Grand Maître pénétrait dans les murs sans hésitation, entouré de ses disciples, tous autant qu'ils étaient. Ils passeraient la journée ici. Ils montreraient à Père comment venir à bout de ses misères.

Et Maman de se mettre à la tâche, servir les autres, c'était son seul objectif, que rien ne laisse à désirer sur ce plan.

Nous en étions de plus en plus irrités. Parler, moi aussi je m'y étais mise, mais c'est Soubodh qui avait hérité de la voix de Grand-père. Il éclatait, tonitruant : « Donne-nous ce qu'il y a de prêt, pourquoi tu t'épuises à toutes ces nouvelles recettes, envoie plutôt Bhondou chercher quelque chose au restaurant du coin, à quoi ça ressemble tout ça ? »

Maman le faisait taire : « Je vais servir ce qu'il y a… c'est juste qu'il n'y a pas assez de légumes, laisse-moi préparer un petit supplément… ça n'arrive pas tous les jours hein… et parle un peu moins fort… »

Un jour Père fit irruption sur ces entrefaites : « Je ne t'ai pas dit de faire tout ça. Envoie Bhondou chercher des beignets et un curry de légumes, tiens, voilà l'argent. »

Maman se retourna vers nous : « Filez, vous ne faites pas votre travail, et vous ne laissez pas les autres faire le leur. Du moment qu'il y a à manger à la maison, je ne vois pas pourquoi on servirait à table des plats du restaurant. Laissez-moi juste tranquille pendant dix minutes. »

Soubodh me fit, rongeant son frein : « *Let us go*, Souni, rien ne changera jamais dans cette maison. »

Et Maman rétorqua : « Ça ne vous fait rien d'envoyer Bhondou courir à droite et à gauche pour un oui ou pour un non ? »

J'en restai estomaquée. J'avais l'impression qu'il n'y avait vraiment rien à faire, comme si donner à l'un c'était prendre à l'autre, qu'on avait tous perdu, qu'on était tous pris au piège – Père, Maman, nous deux… Bhondou… Personne n'était gagnant.

Une suffocation, un découragement, qui s'imposait lentement sur tout, sur les souvenirs de notre enfance candide, sur nos espérances, sur nos certitudes. Étouffés, tous, dans cette maison – Grand-père, Grand-mère, Père, Tante, Maman... Hardeyi... nous... –, pris dans cette ambiance suffocante qui s'infiltrait de partout. Derrière les photos qui avaient jauni, sous la nouvelle couverture rayée de la vieille banquette, autour des trous des tapis du Cachemire, dans les filtres des ventilateurs... Au point de venir, fine poussière omniprésente, nous empêcher en permanence de respirer, au point de venir, déluge invisible, noyer nos yeux de larmes.

28

Nous avions grandi et ne parvenions plus à rester « nous ». Même en étant du même côté, maintenant il nous semblait aussi que nous avions chacun des vérités différentes. Qu'il y avait une solitude silencieuse qui encerclait la vaste étendue des peines et des bonheurs dans le monde, de la prison et de la liberté, la même peut-être bien pour tout le monde, mais vécue différemment par chacun. Qu'il y avait une certaine couleur, encre, qui était la mienne, la nôtre à nous femmes, et pas celle de Soubodh ni de Père. Et cette couleur m'effrayait, parce que je la connaissais depuis toujours, dès avant ma naissance. Ce silence qui était déjà le mien avant que j'existe.

L'histoire est ce dieu – ou ce démon – à qui on ne peut rendre aucun culte, mais qui recouvre tout, nous encerclant de toute part, dedans, dehors, nous tient dans ses griffes. Nous n'en sommes qu'une partie. Nous n'avons pas le choix.

Nous avons connu cela depuis l'enfance, pas le choix. Nous étions obligés de sauver Maman, obligés de ne pas parvenir à la sauver, et maintenant, maintenant nous étions obligés d'étouffer ; l'histoire qui était la nôtre, dans ce silence hurlant, était divisée, il y avait mon histoire, il y avait son histoire, à Soubodh.

Soubodh considérait que nous avions réussi à déchirer ce silence, que nous étions libres. Il était content de voir mon autonomie – j'habitais seule, je conduisais, je peignais. J'étais même allée en Angleterre, ce qui était comme un retour au bercail. Soubodh voulait que je vienne m'y établir. Quand il nous fallait ramener chez elle une amie, en voiture, une fois la nuit tombée, dans notre grande ville indienne, il me disait, Souni, là-bas il n'y a pas tous ces problèmes, tu peux sortir n'importe quand la nuit, tu peux t'asseoir dans un café n'importe où, rencontrer qui tu veux, on a toute la mobilité qu'on veut.

Il se mit à faire pression sur moi : « Viens en Angleterre, on organisera une exposition de tes peintures, il en sortira forcément quelque chose, il y a vraiment de l'avenir là-bas. Alors qu'ici, la moitié du temps se passe à se préparer, l'autre moitié à se mettre à l'abri, qu'est-ce qui reste pour le travail ? »

Le visage de Père disparaissait sous un masque d'anxiété – maintenant sur quel chemin Soubodh allait-il entraîner Sounaina ? Si elle s'en va là-bas, qu'est-ce qui restera d'elle à sauver du désastre ?

Même là, Maman n'émit aucune objection. La vie fait son chemin toute seule, laissons-la faire, ils se débrouilleront.

Nous la persécutions pour qu'elle aussi vienne avec nous, Soubodh a une maison, il faut bien que tu la voies, quand même ? Mais Père lui fit comprendre sans dire non qu'on ne dépensait pas comme ça sans raison des milliers de roupies, s'il y avait une bonne raison, bon, d'accord, comme pour Soubodh, qui était parti pour faire des études.

Quand on mit au point une bonne raison pour mon voyage, les rides de Père s'accusèrent, mais il ne put sans doute pas se résoudre à dire clairement et franchement « non ». Soubodh était sujet aux évanouissements, il valait mieux qu'il ait quelqu'un pour s'occuper de lui, et c'est pour ça qu'il fallait que Sounaina parte.

Il disait : « Oui, d'accord, il n'a personne là-bas, il faut quelqu'un de la famille. » Ensuite il disait : « Il n'y a pas de quoi se ronger les sangs, moi aussi j'ai des étourdissements, s'il fait trop chaud, j'ai la tête qui tourne, mais il faut quand même le signaler au docteur. » Et ensuite il disait : « Il ne faut surtout pas le signaler au docteur ; comment ils pourraient gagner leur vie s'ils ne disent pas au patient qu'il est malade, ils rendent même malade le patient qui n'est pas vraiment malade, non, il faut que Soubodh rentre à la maison, ta mère le remettra d'aplomb, là-bas il n'a personne pour lui faire la cuisine comme il faut, ramène-le avec toi. » Et en fin finale, il disait : « Écris-lui de rentrer, tu n'auras même pas besoin d'y aller. »

N'importe, les jours étaient révolus où il pouvait m'arrêter. Mais il vint me déposer à l'aéroport. Maman lui avait donné pour moi des *laddou* à la farine de pois. Et une lettre : « Donne des nouvelles tout de suite, la santé, c'est le plus important, et si tu trouves en solde un pull comme celui qu'il avait rapporté pour Bhondou, rapportes-en trois ou quatre, tout le monde adore les pulls de l'étranger, je te bénis… »

Dans le taxi, Père égrenait son chapelet : « Baba Touriyatit… Baba… Baba… » À l'aéroport en voyant tous les voyageurs qui partaient chercher un emploi au Moyen-Orient, ouvriers et chômeurs, il s'inquiéta : « Partir en compagnie de ces gens-là… Baba Baba… aucune restriction même sur les avions… Oh mon Dieu, Seigneur mon Dieu. » À l'employé qui contrôlait les passeports, il dit : « C'est ma fille qui part, elle est seule, dites un peu à un de vos employés de bien veiller sur elle. » Je lançai un bref sourire de compassion et haussai les épaules, impuissante. Il me semblait que je ferais mieux de me hâter d'entrer avant de me mettre à voir moi aussi des loups dans tous les coins.

Avant d'entrer toutefois, j'entraînai Père dans la cafétéria de l'aéroport et demandai deux verres de jus d'oranges pressées. Il but son jus d'orange, mais eut quand même quelques mots de réprimande : « Pourquoi es-tu si agitée, pense à Baba, reste calme. » Et il se leva pour partir, non sans faire remarquer au serveur que le thé était tiède, et qu'il avait un goût âcre ! Il était dans un tel état d'anxiété qu'il n'avait même pas fait attention à ce qu'il buvait.

C'était mon baptême de l'air. Il ne me fallut pas longtemps pour retrouver ma gaieté d'enfant ! Mais comme j'aurais préféré que Maman soit assise à mes côtés au lieu du cheik que j'avais pour voisin ! Je regardais tout, je lui aurais tout raconté. « Regarde en bas, la mer à droite, la mer à gauche. C'est bizarre, hein, on est au-dessus des nuages, nous, et en bas on voit le soleil qui éclabousse ? Et les nuages, aussi solides que si c'était de la terre. Voilà Dubai, le désert de l'Asie occidentale, la Jordanie, le Koweït, c'est l'atlas de l'école à livre ouvert, regarde ! En bas, la glace qui couvre les rocs, on dirait des draps blancs. Et devant la mer, Istanbul, la Bulgarie, la Yougoslavie, Linz, Maman, la ville du méchant Hitler, l'Allemagne, les Alpes, regarde cette verdure, Londres… » Je lui aurais dit : « Goûte donc, c'est du champagne, juste un peu. » Nous aurions volé ensemble.

C'était bien là le rêve de mon enfance, être comme la farandole des nuages et rentrer dans la maison par les fenêtres. Certains se fondaient en pluie.

Mais j'avais laissé l'enfance derrière moi, et si les nuages étaient bien du rêve en farandole, Maman, elle, était un poids que nous transportions depuis des années, dans notre balluchon, tantôt allant de l'avant avec précaution, tantôt nous arrêtant épuisés, tantôt ne pensant qu'à déposer notre fardeau, découragés, et aucune de ces choses n'était simple.

Maman était suspendue à notre retour, dans la maison, en compagnie de Père. Nous retournions périodiquement, tantôt séparément, tantôt ensemble. La maison était calme, mais les amis de Père venaient le voir, amenant aussi leurs épouses avec eux. Qui étaient enchantées de nous rencontrer, car nous avions foulé le sol auguste de l'Angleterre. Soubodh était le véritable héros mais elles ne m'en considéraient pas moins comme une héroïne moi aussi. Mon anglais, mes voyages, ma liberté, tout ce que leurs filles n'avaient pas.

Nous revenions souvent – Maman devait rester seule à la maison, Père passant toute sa journée dehors ; et comment les champs et les bassins pouvaient-ils combler son besoin de société ?

N'était-ce pas à cette époque que Vikram était venu à la maison ? Il faisait une enquête de terrain dans un village voisin. Soubodh n'était pas là mais je l'avais invité à rester chez nous. Père aurait bien aimé prétendre qu'un ami de Soubodh était venu pour son travail, mais Heinz aussi travaillait pour le même projet et il habitait dans une petite pension de la ville. Il venait tous les jours en jeep, emmenait Vikram sur le terrain, et parfois moi aussi je me joignais à eux.

Père ne put alors trouver aucune raison pour justifier le séjour de Vikram chez nous. « Du moment que les deux garçons font le même travail ensemble, pourquoi lui aussi n'habite-t-il pas dans une petite pension ? » avait-il dit à Maman.

Ce fut l'étincelle qui mit le feu aux poudres, en moi : « Mes amis ne pouvaient-ils donc pas habiter chez nous ? »

Père en fut décontenancé, sa parole s'embrouilla : « Les… les gens le prennent mal… Il ne faut pas parler d'a… d'amitié avec un homme. » Et, ne se trouvant pas à la hauteur de cette délicate situation, il se plaignit à Maman : « Il faut que tu la raisonnes, les enfants sont en âge de faire la part des choses maintenant. »

Et il sortit, le regard fuyant, mal à l'aise.

Maman ne dit rien. Elle servit à Vikram son dîner avec une sollicitude de mère. Elle jeta discrètement au rebut sa vieille besace déchirée et lui en fabriqua une autre exactement pareille en toile de jean, bien solide, avec une fermeture Éclair. Quand Vikram fut prêt à partir, il me demanda un verre d'eau et à peine avais-je tourné le dos qu'il se jeta aux pieds de Maman en signe de respect et de gratitude.

Vikram une fois parti, Père se livra à ses fantasmes, accablant Maman de ses doléances : « Maintenant ça devient difficile de mettre un pied dehors, les gens posent des tas de questions, qu'au moins ils évitent d'aller se promener ensemble en ville. »

Quand il me voyait, il quittait Maman, évitant mon regard. Quand il ne me voyait pas il inspectait soigneusement les alentours et mettait le cap sur Maman : « Tu leur as bien parlé, hein, tu leur as bien interdit de sortir ensemble, hein ? » Si d'aventure je débarquais inopinément, il changeait aussitôt de ton et lançait d'une voix forte : « Il faut recoudre le bouton de cette chemise, il s'est décousu. »

Même avant, cette manie nous avait toujours exaspérés – cette habitude de mettre Maman en première ligne, de tout dire et faire par son intermédiaire. Et moi, je faisais le siège de Maman, pour ne pas la laisser seule avec Père. Quand je quittais la maison, j'étais inquiète, pensant à ce qui pouvait se passer à l'intérieur, à ce que Père pouvait bien faire avec elle, dont Maman, de toute façon, ne dirait rien.

Hélas ! Si seulement j'avais pu la tirer de là. Nous étions si entêtés avec notre désir de la sauver que nous ne pouvions même pas imaginer qu'il y eût là quelque chose d'irréalisable, ou qu'il eût alors fallu des préparatifs inouïs.

Je continuai à la harceler : « Va-t'en d'ici Maman. Soubodh t'invite, tu peux au moins y aller en visite, et si Père veut venir, qu'il vienne aussi. »

29

Mais la vie va-t-elle sur les rails qu'on lui a tracés ? Elle va de l'avant, de son propre mouvement, et s'écarte du chemin familier, prenant des virages inconnus.

Père allait très souvent à Lucknow pour son travail. Ce jour-là, il était parti en voiture avec quelques personnes de sa connaissance et ils étaient à peine entrés dans la ville, sur le chemin du retour, qu'un camion vint enfoncer la voiture. Père et ses trois amis furent projetés à l'extérieur. Il faisait nuit, personne ne s'aperçut de rien jusqu'au matin. Quand on découvrit l'accident, on s'aperçut que deux de ses compagnons avaient rendu l'âme, qu'un autre gisait inconscient sous le châssis et que Père, même s'il respirait normalement, avait tous les membres complètement disloqués.

Nous étions revenus en toute hâte, et ce jour-là, alors que nous n'avions envie de parler à personne, nous tombâmes sur un ancien camarade de classe de Soubodh – un certain Arif, ou bien Zamir, ou Jivan, un nom de ce genre. Qui avait fait ses études avec lui à Sunny Side Convent, et était désormais dans les affaires à Calcutta. Il revenait de temps en temps au pays et revoyait à l'occasion Soubodh quand il était en vacances.

Nous étions dans une grande anxiété, lui, il était d'humeur à rire, démonstratif au possible, et comme nous ne voulions pas nous expliquer, nous le supportâmes bon gré mal gré.

« Tu te souviens… disait-il en énumérant l'un après l'autre divers souvenirs. Comme on était insouciants à l'époque, quand on allait à la gare pour se balader ? Qu'on traînait sur le quai à boire du thé ? Et qu'à l'arrivée de tel ou tel train on se précipitait en troupe tous autant qu'on était à l'assaut des places libres dans un wagon, ravis de faire croire à ceux qui embarquaient qu'il n'y avait plus de place, de les voir jeter un coup d'œil et ressortir pour chercher une place dans un autre wagon ? Au coup de sifflet on bondissait et on se retrouvait sur le quai, s'esclaffant à l'idée qu'un wagon partait complètement à vide ! Tu te souviens…vieille branche… ? »

Il n'en finissait plus de bavasser. Soubodh cachait son malaise derrière un sourire affecté.

Moi, j'étais dans une position différente, parce que je ne le connaissais pas particulièrement, cela me permettait de rester en marge, et la pensée m'avait soudain traversée que mon enfance et celle de Soubodh étaient peut-être deux enfances séparées.

Mais nous étions rentrés ensemble, nous étions « nous » et bouleversés au-delà de tout par l'imprévisibilité de la vie. Si profondément bouleversés que nous en étions rendus à la sphère où, passée la frontière du bouleversement, on se met à croire que non, rien ne peut arriver comme ça, juste comme ça, la vie ne peut pas être aussi terrible, aussi irrationnelle, aussi absurde, aberrante.

À peine avions-nous cru que la grille centenaire rongée par la rouille avait commencé à s'entrouvrir en grinçant que nous découvrions de nouveaux barreaux, puissants, plus solides encore, surgis tout autour de Maman. Et qu'elle était de nouveau enfermée.

Maman avait tout laissé tomber et était occupée à extraire les petits bouts de verre broyé pris dans la chevelure de Père.

Père avait le corps en miettes. On le plâtra, mais il gardait la tête déjetée d'un côté, l'épaule de l'autre, la colonne tordue et bloquée au niveau de la taille. Même ses pieds ne pouvaient retrouver leur position normale. Il se déplaçait en traînant son corps brisé et concassé, émettait des bribes de paroles bégayantes, et s'en était remis pour tout aux mains de Maman – la toilette, l'habillement, les repas.

Maman était prise, prise au piège de ce nouvel enfant qu'elle menait par la main.

Nouveau sujet de doléance pour nous – à quel point elle est désormais prisonnière, Maman. Nous abandonnions nos travaux en cours, prenions des congés, revenions régulièrement à la maison.

Dans le tohu-bohu de la maison il y avait une ombre qui rôdait. Elle avait toujours été là. Maintenant, on sentait partout comme un axe fixe, qui était celui du désastre. Et il y avait cette ombre. Et…

Père aussi était devenu une ombre.

C'est à cette époque qu'elle arriva. Elle n'avait pas sur elle le cardigan tricoté par Maman, mais une espèce de voix intérieure fit tilt en nous et nous la reconnûmes. Elle n'avait pas les chairs flasques et flageolantes sous ses vêtements non plus, mais quand même, nous la reconnûmes.

Maman restait assise, tout près de Père, sur son lit, à changer ses pansements à la tête. La femme étrangère était assise sur une chaise près du lit, le pommeau de son parapluie dépassant de son sac coloré en toile plastifiée.

Je me souviens de certains détails. Elle toussait sans arrêt, comme si elle avait attrapé un bon rhume, et après chaque quinte elle disait : « *Excuse me.* » La toux lui restait-elle dans la gorge, sans sortir, le fatidique « *Excuse me* » sortait quand même. C'était comme les filles éduquées dans les écoles anglaises qui, dès l'adolescence, tirent maladroitement et ostensiblement leur robe sur leurs jambes, gardent leurs genoux bien serrés, se tiennent bien droites, triturent leur mouchoir jusqu'à le réduire en boule dans leur main et ponctuent toutes leurs phrases de « *Sorry* », « *Thank you* », « *Pardon* », « *Excuse me* » en s'inclinant légèrement.

Comme il y avait beaucoup de vent, Maman me dit de fermer la fenêtre. Je me levai et allai la fermer. Dehors, les arbres et les végétaux se griffaient frénétiquement, comme saisis de panique. Je pensai à mon Institut, derrière lequel la mer devait être en folie.

Et quand je vis tomber les feuilles du flamboyant, l'image du dos de Maman me revint en mémoire, avant qu'il ne soit tordu à ce point, ce dos que j'avais vu tout brillant des gouttes d'eau de la toilette, et au centre duquel plongeait un long sillon ombreux, luisant, comme une branche.

Je m'étais figée, toute à mes pensées décousues. Derrière moi, Père était allongé, tout « tordu », « cette » femme était assise là et pour fermer la fenêtre il me fallait maintenir le rideau sans arrêt. Qui se démenait et battait au vent comme les feuilles et les arbres, comme la mer, comme s'il comprenait qu'il faisait partie lui aussi de la nature.

La femme dut dire quelque chose à Maman, à Père, je ne me souviens plus. Je fus prise d'une sorte d'hallucination, quand je vis passer sur le visage de Maman une onde de fraîcheur matinale, mais aussi de plénitude heureuse.

Quand nous nous retrouvâmes sur la terrasse, Soubodh et moi, il était d'humeur triste. Tant de souffrance, Maman, comme elle doit être malheureuse.

Je lui dis d'un regard toute la confusion qui m'agitait. Il se mit à décortiquer les complexités de la société et de la différence sexuelle – Maman s'était courbée, le fait qu'elle soit cassée, si c'était elle et non pas Père qui était alitée, est-ce que tu crois que tout aurait changé comme ça dans la maison ?

À présent il semblait encore plus difficile d'abandonner Maman à sa situation. Nous nous rongions encore plus les sangs pour tenter de la sortir de là.

Soubodh devait retourner en Angleterre. Avant de partir il me fit remplir je ne sais combien de formulaires qu'il emporta avec lui.

J'étais revenue à la maison avec toutes mes toiles et mes pinceaux, m'arrangeant avec Vikram pour qu'il vienne me voir, pour son travail ou même sans raison particulière.

Père avait la larme à l'œil, une goutte brillante à la commissure des paupières. Il marmonnait confusément, à l'intention de Maman : « Aah… baa… »

Et Maman était venue dans ma chambre – à présent elle dormait dans la chambre de Père – où elle s'était assise, silencieuse.

Quand je lui demandai ce qui se passait, elle m'expliqua que je ne devais pas continuer à rester avec lui comme ça, ici, ensemble.

Elle partit. J'avais une faiblesse qui me coulait dans les veines au lieu du sang. Je ne pouvais pas abandonner Maman. Quant à interdire à Vikram de venir ?…

L'idée me traversa l'esprit, dans un éclair, que c'était la première fois de ma vie que Maman m'avait demandé quelque chose, encore ne l'avait-elle même pas vraiment demandé…

Judith s'était battue pour nous faire comprendre que si nous ne prenions pas nos distances elle nous pétrifierait dans notre existence même, que c'est elle et non Père, ni

Grand-père, ni Grand-mère, qui nous avait emprisonnés, qu'on ne parviendrait pas à se développer, à réussir, qu'on se laisserait étouffer dans ce petit paradis de langueur poisseuse.

Maman n'avait pas dit : « Mariez-vous ou quitte-le. » Dans quelle mesure comprenait-elle ?

Vikram revint, et l'atmosphère me parut de plus en plus accablante. Je vivais ces moments dans l'attente de son départ. Je craignais de me retrouver seule avec lui car même alors je n'avais pas l'impression que nous étions seuls.

Et sur mes toiles apparurent de nouvelles silhouettes qui surgissaient et flottaient, enfermées dans des pièces oppressantes, recluses, qu'observaient deux yeux muets ou une ombre impassible, ou encore un pan de sari palpitant. Les yeux, grands ouverts dans le vide, l'ombre, debout au coin d'un mur, le pan du sari accroché au bras d'un fauteuil. Comme s'ils regardaient la scène à la dérobée, avec la tâche de lui conférer un caractère d'intimité totale, en même temps que de l'empêcher de rester totalement intime.

Vikram s'en alla. Mais cette femme étrangère entra en scène.

Et Maman à présent ne s'adressait plus à Père sur ce ton mourant, soumis et plaintif. Sa voix avait pris du tranchant, ses mains s'affairaient avec efficacité, tous ses gestes et son allure étaient dynamiques, son regard plein d'assurance. Quand elle voyait Père faire quelque chose qu'il ne lui fallait pas faire, elle levait la voix et lui donnait des ordres :

« Oh là, qu'est-ce que vous êtes en train de faire. Asseyez-vous… Non, ne vous penchez pas, asseyez-vous tout de suite, ici… Il y aura bien quelqu'un qui ramassera ça… Asseyez-vous. »

30

Maman était celle qui me montrait la voie. La voie vers ce que je ne voulais pas être.

Maman vécut prisonnière, elle resta prisonnière.

La maladie de Père avait sans éclat englouti en nous la moindre velléité de dédain à son égard, et nous restions avec une énorme douleur qui nous gonflait le cœur. Malgré cette femme. Et même, pour elle aussi.

Poser des questions, c'est ce que nous n'avions jamais appris ; nous nous tenions toujours au silence, debout dans un coin, jetant de temps en temps des regards compatissants à Maman.

Nous avions pitié de Père aussi, mais à la vérité, Père était pour nous une simple extension de Maman. Si encore il existait. Ficelé à elle.

Et Maman, elle était, à nos yeux, ficelée à nous. En dépit de tout ce qu'on avait pu voir d'autre.

Il y a une prison, la prison du dire, il y a même la prison du penser, et même celle du simple soupçon, qui fait que toute chose apparaît dans cette texture de soupçon. Même quelque chose qui n'a rien à voir.

Notre vision s'était faite de plus en plus sûre depuis l'enfance. Certes nous avions perçu le tic-tac d'une horloge inconnue, mais nous avions fait comme si c'était une illusion de nos sens. Nous avions bien frémi à une vibration étrange mais l'avions aussi reléguée au rang des illusions. Quand nous eûmes de Maman une image insolite, cela nous fit cligner des yeux ; pensant avoir la berlue nous en revînmes bien vite à notre image familière, bien cadrée.

On pourrait dire qu'on avait beau voir, on avait beau entendre, on ne voulait toujours savoir que la même chose – Maman était prisonnière, elle souffrait, elle était défaite, et nous étions là, nés pour la remettre en selle.

Mais quand nous étions allongés sur la terrasse, les yeux clos, à échanger encore et encore nos opinions familières sur ce sujet, et que nous ouvrions les yeux, l'éclat du ciel nous pénétrait jusqu'à la moelle et quelque chose d'acéré, un alliage d'interrogations, nous poignait le cœur.

Il arrive aussi que la vérité soit si vaste et si inextricable qu'on en soit effrayé au point de prendre pour la vérité un petit mensonge de rien du tout, tout rabougri, à cause de sa netteté.

Ou il arrive aussi qu'on puisse identifier un détail chez quelqu'un de peu connu qu'on n'aurait pas pu repérer en connaissant mieux la personne, l'ayant amalgamé à d'autres de ses traits. Peut-être la personne à qui m'avait présentée mon grand-père maternel n'aurait-elle pas dit, si elle m'avait vue tous les jours : « La fille de Rajjo… non ? »

Nous avons tellement peur de l'immensité. Des langues d'inconnu qu'elle darde.

Mais pourquoi n'aurions-nous pas peur de l'inconnu ? Nous n'avançons que si nous savons, autrement ne resterions-nous pas pétrifiés sur place ? C'est l'exigence propre de la vie que de croire qu'on sait et de rester en mouvement. C'est ce mouvement qu'on appelle la vie.

Nous comprîmes par la suite que nous n'étions pas les seuls à être en mouvement, la vie aussi est en mouvement, elle a sa propre vitesse. C'est la même vitesse pour celui qui reste ferme, immobile, dans la tourmente de la vie et pour celui qui en épouse en lui le mouvement. Ce n'est pas que nous mettions la vie en mouvement. Et ce n'est pas que la vie s'arrête pour celui qui reste immobile.

Nous avions vu Maman immobile sur un point, nous l'y avions fixée pour l'éternité.

De même, ceux qui nous rendaient visite dans la maison familiale m'avaient figée une fois pour toutes dans telle ou telle image de mon enfance qu'ils avaient bien connue, faisant fi du passage des ans. J'étais toujours la même pour eux, et moi-même j'endossais à leurs yeux les oripeaux de l'enfance et ses balbutiements. J'avais une taille d'adulte mais je me mettais à me réduire en « petit enfant » et à en mimer le jeu. J'avais l'impression d'habiter la maison comme un mensonge. Je m'affolais : « Sauve-toi, avant qu'on attrape le mensonge. »

Mais je ne pouvais pas partir et abandonner Maman aux griffes de la maison. Je restai sur place. Soubodh voulait organiser une exposition de mes « peintures » en Angleterre. Il était sûr que les visiteurs étrangers seraient impressionnés par la psyché de la femme indienne et tomberaient sous le charme de mes œuvres. Il en espérait un succès phénoménal.

Mais comment faire, que faire ? On ne pouvait abandonner Maman dans la situation où elle était, Soubodh ne pouvait pas davantage revenir chez nous, et je ne pouvais pas davantage rester indéfiniment à la maison.

Maman fit allusion à mon travail. « Est-ce qu'un artiste indépendant n'a pas besoin de se trouver une institution académique ? Pense à ta carrière, maintenant la vie suit son cours ici. » Au *toc-toc* de la canne de Père, elle sortit en toute hâte de la pièce.

Père avait pratiquement cessé de sortir de la maison. Son scooter attendait les retours de Soubodh dans la remise, couvert d'une bâche de toile. Père passait son temps à lire. Jusqu'à l'arrivée d'un visiteur. Autrement, il appelait Maman à ses côtés, et elle restait assise près de lui.

Je n'allais pas beaucoup le voir. Soubodh au moins avait quelques sujets de conversation avec lui. Il avait des choses à lui raconter. Il lui parlait de l'animosité grandissante à l'égard des Asiatiques établis à l'étranger. Comme les gens d'ici étaient prêts à se tuer au travail. Etc. etc.

Moi je n'avais rien à dire. La peinture était appréciée pour moins que poussière à la maison et on n'en parlait pas. De toute façon, Père n'avait guère l'impression qu'il y ait dans ma vie ce qu'il devait y avoir. Et depuis son accident, j'avais du mal à comprendre ses paroles, et j'avais honte de devoir lui demander à plusieurs reprises : « Comment ? », « Répétez », « Je ne comprends pas ».

Nous ne pouvions pas nous résoudre à rester, pas plus qu'à les abandonner. Quand je partais, je revenais tout de suite, quand Soubodh partait, il commençait à ruminer les possibilités de retour.

En fait, la maison était redevenue notre foyer, qu'on le veuille ou non. Et nous étions de plus en plus coincés dans ce mélange si spécial de sécurité et d'étouffement.

31

Il arrive aussi qu'il nous soit épargné de prendre une décision, que les choses se décident d'elles-mêmes. Il y a des gens heureux qui sont fait d'un tel bois qu'ils acceptent comme décisoire ce qui advient et s'y conforment sans faire de bruit.

Nous étions à tel point anxieux, Maman était piégée, moi aussi j'étais piégée, rien à faire. Au même endroit, dans la maison.

La vie avait repris son cours ordinaire. Père ne sortait pas de la maison mais il n'en était pas malheureux. Maman s'était mise à s'occuper de lui comme si ses soins avaient laissé à désirer par le passé. Un jour je mettais le couvert en compagnie de Maman, et disposais tout sur la desserte pour porter le repas à Père dans son lit. Père avait à peine tendu la main vers la coupe de fruits posée à son chevet que Maman s'écria : « Oh là là, ne mangez pas les fruits, le repas arrive. »

Entre-temps, Père avait commencé à éplucher une banane. Il s'interrompit, jetant un regard indécis tantôt sur la banane à moitié épluchée tantôt sur la coupe de fruits. Puis il s'adressa à Maman dans son langage décousu et quasi incompréhensible : « Ça... je peux... manger... ? »

On eût dit un petit enfant devant un maître sévère.

Maman lui enleva la banane des mains : « Prenez d'abord votre repas, après vous mangerez la banane. »

Les jours s'écoulaient l'un après l'autre. En hiver, je portais mes toiles sur la terrasse et je peignais. J'aimais bien être là-haut, où affluaient tous les souvenirs d'enfance – là d'où partait l'allée de gravier, où on pouvaient facilement repérer les serpents, où les toiles d'araignées accrochées aux murs depuis les ventilateurs brillaient comme des fils de soie, d'où les singes avaient disparu mais où les paons venaient toujours, et abandonnaient toujours quelques plumes.

Je fis beaucoup de toiles dans la maison, mais je commençais à me dire non sans découragement que la vie n'était pas faite pour s'épuiser dans ce trou.

Non, nous n'avons pas été soulagés que Père, soudain, ait une attaque. Une attaque si grave que même un aveugle eût pu voir que la petite lumière de vie en lui n'allait pas tarder à s'éteindre. Soubodh arriva en toute hâte, Père put le voir encore une fois avant de tomber dans l'inconscience.

Maman était là, debout, le docteur aussi était là, nous étions là, et aussi Hardeyi et Bhondou. Père était dans les douleurs de l'agonie, son corps s'agitait convulsivement et il semblait affolé. Nous restions debout, immobiles, les mains jointes, et nous le regardions, pétrifiés comme des statues. Comme si c'était nous qui incarnions la mort, lui, la vie.

Toutes les ombres du passé familial étaient venues nous entourer.

Père ouvrit alors les yeux une dernière fois et leva sur nous un regard de prisonnier, entre ses perfusions de glucose et son tube d'oxygène. Quand il vit nos regards de morts, il referma délibérément les yeux.

Puis il sombra dans le coma, où il resta jusqu'à la fin.

Nous ne le disions pas, et nous évitions de nous regarder l'un l'autre, conscients de partager ce même sentiment, mais Père s'en allait, le dernier lien qui attachait Maman dans sa prison se brisait...

Nous étions tristes. Nous ne le disions pas non plus. Il nous était étranger, mais c'était notre Père.

Un désir refoulé du plus profond de notre enfance, grandi avec nous, était en train de se déployer en une grande espérance, désormais au seuil de la réalisation. Peut-être avons-nous eu en secret le cœur battant à cette idée, mais les larmes nous montaient aux yeux et nous pleurions un torrent de larmes sur Père.

Maman, elle, restait calme. Nous l'avions très rarement vue pleurer. Elle était absorbée dans les soins à donner à Père. Elle avait cessé de préparer des petits plats, de faire de la couture, du tricot, de s'occuper du jardin, de fréquenter les cercles de femmes.

Elle pourrait avoir tellement plus d'activités à l'étranger, elle apprendrait... disait Soubodh, les mots s'égrenant dans les volutes de fumée de sa cigarette.

Nous avions toujours vécu dans cette obsession, de ne pas laisser Maman rester une Maman. Notre grande expérience, nos réflexions profondes, nos cogitations intenses nous avaient enseigné que « Maman » était une coquille vide parce qu'une société donnée l'avait vidée de son être dans son propre intérêt. Nous remplirions cette coquille vide de substance humaine, nous lui donnerions l'occasion de se développer pour que la coque vide de cette soumission à l'injustice séculaire glisse et que Maman en émerge dans toute sa plénitude, enfin elle, en non-Maman.

C'est la non-Maman que nous pouvions considérer comme un être humain.

Le docteur encourageait Maman à s'occuper de sa santé, à prendre des vitamines, si elle ne veillait pas sur elle-même comment pourrait-elle veiller sur les autres ? Nous aussi nous tentions de lui faire prendre du repos. Mais elle était mal à l'aise dès qu'elle était couchée, toute faible, voûtée, tordue qu'elle était, et elle se relevait pour s'activer à nouveau.

Quand je pense à cette époque, l'image qui revient je ne sais pourquoi me hanter est celle de Maman en train de coiffer Père, un sourire sublime, lumineux, jetant comme un clair de lune sur son visage.

Nous avions vu depuis la terrasse que les bambous derrière avaient grandi et étaient en pleine floraison. J'allai cueillir de hautes tiges chargées de fleurs, les disposai dans un grand vase que je m'apprêtais à porter dans la chambre de Père quand Maman m'arrêta : « Si les bambous fleurissent, cela veut dire qu'ils vont mourir. »

Père était parti.

Il était là, encore à l'instant, il venait de partir.

Puis ce fut le défilé à la maison, Tante, Oncle, quantité de gens. Maman assura toute l'organisation. Tante se mit à pleurer : « Ma fille, mets-lui un oreiller sous la tête, il doit avoir si froid. »

Maman répondit simplement : « Bibi-ji ! »

Et le reste du dialogue nous arriva comme sur un roulis venu du profond de l'enfance : « Pourquoi dis-tu des sottises ? »

32

Nous n'avions pas l'impression que les choses aient beaucoup changé à la maison parce que Maman restait silencieuse dans ces jours de deuil comme par le passé. Exactement comme avant, nous le pensions en tout cas même à l'époque. Il y avait deux choses dont nous étions désormais sûrs – la première, c'est que tout pouvait tourner dans la maison grâce à Maman qui était devenue l'arbitre de la vie domestique, et la deuxième, c'est que, dans notre amour inconditionnel, nous n'avions jamais cherché à voir ce qui se cachait derrière son silence calme.

Tante avait toujours voulu venir voir son frère et rester chez nous longtemps, mais elle n'était jamais venue que pendant les vacances d'Oncle, son mari. Maintenant, à présent que son frère n'était plus, son mari renonça à toutes ses réticences et Tante s'installa quasiment chez nous ! Ou alors était-ce qu'elle aussi avait vieilli, s'était libérée, était revenue sur les lieux de son enfance ?

Tante habitait donc chez nous, à la maison. Et si elle retournait chez elle, ce n'était pas pour longtemps.

Elle essayait de décharger Maman de certaines des tâches domestiques, lui répétant sans cesse : « Écoute, tout ce qu'il y a à faire ici, je m'en occupe, ne me fais pas la leçon. »

Maman avait réuni les papiers de Père et les mettait en ordre, dans sa chambre.

Elle avait elle-même envoyé un colis à cette femme, colis dont la forme n'évoquait ni une liasse de papiers ni un paquet de vêtements.

La maison continuait à tourner, comme la Terre, indifférente au départ ou à l'arrivée d'une personne, accomplissant sa rotation quotidienne, comme d'habitude. De même, comme d'habitude, les préparations culinaires changeaient avec les saisons, et les plantes changeaient dans les champs et sur les plates-bandes au jardin.

Hardeyi aidait toujours à la cuisine mais Bhondou passait son temps alité devant leur petit logis, toussant et crachant ses poumons.

Une foule de domestiques étaient venus présenter leurs condoléances à Maman. Le vidangeur chargé de nettoyer la rue, le facteur, le charpentier. Tous ces gens venaient aussi à l'occasion des grandes fêtes, et Maman leur donnait à diverses occasions du sucre, des céréales, du tissu, de l'argent, conformément à son statut de maîtresse de maison.

Soubodh et moi nous étions à la maison, attendant toujours le moment opportun.

Je ne me souviens plus des atermoiements, mais c'était pendant la mousson et un oiseau était venu se percher sur une branche en face de moi ; il était resté longtemps posé sur la branche, les ailes gonflées, la tête rentrée dans le corps. À un moment, dans l'averse qui tombait doucement en pluie égale, une goutte d'eau tombait sur une feuille qui bougeait, isolée des autres, et se mettait à briller, toute mouillée. L'oiseau s'écartait alors brusquement, battait des ailes, toutes les feuilles frissonnaient et l'arbre tout entier s'animait.

« Il faut qu'il y ait un homme dans cette maison », disait Tante sur un ton d'impatience.

Maman triait les lentilles et nous étions nous aussi tous les deux occupés, Soubodh et moi.

Comment Soubodh aurait-il pu revenir et que pouvait-il faire ici ?

Toujours est-il qu'il avait dit quelque chose, qui, je ne sais pourquoi, irrita Tante contre moi : « Ah oui, fit-elle, elle a passé deux jours en Angleterre et la voilà qui se promène avec cette étiquette comme si elle n'était plus d'ici.

— Qu'est-ce qu'il y a, Tante ? Bien sûr que si, j'habite ici, répondis-je doucement.

— Des blagues, oui ! Ça n'a aucun sens, que tu habites ici. »

Je ne pouvais garder le silence à cette accusation contre mon adolescence. « Parfaitement, c'est mon droit à moi aussi, m'exclamai-je, et Maman et moi on peut parfaitement gérer la maison sans homme. »

Mais cet emportement prenait un tour qui ne me plaisait pas.

Soubodh calma les choses : « Vous pouvez penser comme il vous plaît. Mais nous, on n'a aucune intention de s'éterniser ici.

— Qu'est-ce que ça veut dire ? s'emporta Tante, tu veux transformer cette maison en une ruine ? » Et d'ajouter, soucieuse : « Si tu ne peux pas quitter l'Angleterre, et pas non plus abandonner ta Maman, alors d'accord, que Sounaina fasse ce qu'il faut ici. »

Tante et Oncle voulaient ouvrir une école dans une partie de la demeure. Beaucoup avaient adopté cette stratégie pour échapper à la loi sur le plafonnement des biens fonciers. Et nous les enfants nous sauverions ainsi notre maison de famille.

Soubodh serait le principal. S'il n'acceptait pas, il y avait toujours moi, après tout je n'avais pas grand-chose à faire.

« Pourquoi ferait-elle cela, Tante ? Elle a son travail à elle, dit Soubodh.

— Elle peut faire sa peinture ici aussi », insistait Tante.

Maman se leva, emportant le dal, et Tante dit : « Pensez à votre mère.

— Nous pensons justement à elle, fit Soubodh.

— En l'abandonnant ? répliqua Tante.

— Absolument pas.

— Alors, Sounaina…

— Absolument pas. »

Tante se tut, nous fixant comme si elle s'attendait à quelque révélation renversante.

« Maman et nous… » commença Soubodh, avant de s'interrompre en voyant revenir Maman. Ce à quoi, nous le savions, nous étions suspendus jusqu'à aujourd'hui, ce qu'il nous fallait faire, ce pour quoi nous avions grandi, ce qui avait grandi en nous comme un défi, nous étions presque en train de l'exprimer devant Maman justement, et nous nous tûmes.

Soubodh se mit à regarder ses pieds, gêné. Moi je dis à Tante : « Vous n'avez qu'à ouvrir l'école, vous.

— Moi, qu'est-ce qui m'attache ici ? » fit Tante. Mais sa voix était pleine de gêne aussi.

Nous laissions le temps passer. C'était plus nous que Maman qui restions morbidement attachés à la maison, nous qui ne sortions pas de notre tristesse, ramassant nos forces, à la veille de toucher au but, dans l'attente que maintenant… maintenant… ça y est…

Oncle aussi venait fréquemment. Il arrivait en voiture, avec ses fils, et nous partions tous en promenade dans divers endroits, comme avant, sauf que Père n'était plus là.

Il y avait dans notre ville un passage à niveau. Il fallait passer par là où qu'on aille, et dès qu'on quittait la maison, il se trouvait toujours quelqu'un pour faire remarquer : « Mon Dieu, pourvu que la barrière ne soit pas fermée. »

Quand nous étions petits, on se disait par jeu, jetant les bras ou les jambes en travers pour bloquer le passage de l'autre : « La barrière est fermée, le teuf-teuf va passer. »

On avait trouvé la barrière fermée, et la file des voitures, camions et rickshaws à l'attente, s'allongeait.

La barrière resta fermée un temps interminable. Puis il y eut le vacarme du train qui s'annonçait, ses feux visibles au loin, la fumée de la locomotive. Et une locomotive grosse comme un moineau fit son apparition, *teuf-teuf-teuf-teuf,* tout en sifflant joyeusement.

Maman se mit à rire. Je me souviens de son rire. Et de rire, et de rire. Elle riait de tout son corps, elle en avait les larmes aux yeux, à se faire un bâillon sur la bouche avec le pan de son sari, et nous, nous la regardions, mi-sourire, mi-stupéfaction.

Un peu honteuse, elle expliqua : « On a passé tout ce temps à l'arrêt, on s'attendait à voir passer un long train bien imposant, et c'est ça qui nous avait bloqués, fit-elle avec un geste dans la direction où était passé l'engin, ce petit bout de souris qui se trémousse. »

Nous esquissâmes un sourire, avec un soupçon de condescendance. Mais sans aller jusqu'au rire. Nous étions incapables d'associer le rire de Maman à sa gaieté naturelle. Nous trouvions ce rire artificiel, après la mort de Père, nous estimions qu'elle n'aurait plus dû rire. Elle n'avait guère ri que cette fois-là, Maman, cette femme si seule, si triste.

Maman, qu'on ne pouvait plus laisser vivre dans ces lieux…

33

Nous prîmes conscience plus tard que nous n'avions rien compris à ce qui se passait. Plus tard encore nous comprîmes que nous avions compris quelque chose, que nous pensions à tort n'avoir rien compris, mais qu'il y avait encore beaucoup de choses que nous n'avions compris ni alors, ni plus tard, ni maintenant. Un peu comme si nous avions usé nos yeux à observer exclusivement l'ombre alors qu'il y avait une forme bien réelle et pleine qui faisait cette ombre, comme si nous avions écouté de toutes nos oreilles le silence alors qu'il y avait quantité de sons et d'échos à entendre.

Et puis vint le jour où disparut l'occasion de voir et d'entendre, quand l'imparfait du « elle était » nous prit à la gorge.

Impossible de dire combien de temps s'écoula. Si on rouvrait les dossiers, les papiers liés à la vente de la maison, on retrouverait sûrement les dates.

Les plants de moutarde furent attaqués par la maladie. Maman fit faucher tout le champ. Il n'y avait pas d'autre solution.

On fit les foins, et l'herbe fraîchement coupée embaumait.

On étendit au soleil, dans la cour, les vêtements d'hiver, avant de les ranger dans les coffres.

Les écureuils venaient grignoter dans la cour le grain qu'on avait mis à sécher au soleil sur les *tcharpai**. Et je te picore et je te picore !

C'est là que nous tracions à la craie les lignes de nos jeux de marelle. Mais c'était bien avant. Bien avant.

À côté du vieux dhoti de Hardeyi, éclatait le sari blanc immaculé de Maman.

« Quand » n'avait plus aucun sens. C'était désormais un temps qui s'était imprimé à nos vies pour toujours.

Pas un souffle, la maison silencieuse, de nouveau la même vieille routine, où nous étions indéfiniment sur le point de nous dire le non-dit qui insistait, et où je rejoignais Maman, une tasse de thé à la main.

Sa main, échappant à celle de Soubodh, tomba en même temps que ma tasse de thé.

« Maman, hurlai-je, Père est parti ! »

Alors que c'était quelque chose de périmé.

« Souni, fit Soubodh, pétrifié, Maman est partie. »

Les fleurs de bambou étaient encore épanouies dans le vase.

Nous restâmes figés sur place. Incapables même de toute pudeur. Oubliant même de nous lamenter. Figés, c'est tout. Regardant indéfiniment cette pluie de cendre, qui était tombée des yeux de Maman et qui s'était entassée dans son cœur.

34

Maman n'avait laissé que ces cendres.

Et nous.

Nous avons dissimulé ces cendres au regard des autres pour les garder avec nous. Avons porté ces cendres sur notre terrasse, entre nous, seuls, pour les contempler, encore et encore.

C'était bien là ce que nous ne comprenions pas, n'avions jamais pu comprendre, ce quelque chose qui n'était pas lié à nous mais était à l'extérieur de nous, ailleurs, quelque chose d'autre que nous qui existait.

Quelqu'un d'autre.

Dont nous avions noyé l'identité dans le tourbillon de la nôtre.

Et maintenant nous le regrettions amèrement.

La demeure seigneuriale se dégrada. Il ne restait personne pour veiller sur la grande maison, ses murs puissants, ses champs, son jardin. Nous avions rompu nos liens avec elle depuis bien longtemps, et ce qui en subsistait c'est Maman qui l'avait rompu, en nous laissant tomber dans cette difficile passe.

Elle était partie sur cette trahison, pour toujours.

Cela faisait beau temps que nous n'étions plus un, mais deux. La division s'accusa, dans maint et maint « moi ». L'un discutait des affaires de propriété avec l'oncle avocat, l'autre, fantomal, se dissolvait dans les toiles d'araignées accrochées aux ventilateurs.

Il s'agissait de vendre la maison. Tante était prête à prendre les autres parts en plus de la sienne. On scrutait les testaments. On décrochait les tableaux, on emballait les tapis, les crachoirs, les jarres.

Le ciel pesait sur nous comme une chape, nous foulions le lourd silence des ténèbres.

Nous en oubliions tantôt d'avancer, tantôt de nous arrêter. Traversés de sentiments décousus. En voyant des *atchar* de corinde dans leurs bocaux, l'envie de bougonner car on ne m'avait pas appris à les préparer. En déplaçant une photo, l'émoi de la regarder comme si on ne l'avait jamais vue – Maman et Père sur le scooter, le mari en train de rire, l'épouse timide, souriante, les yeux dans les yeux.

Quand ? Quand ? J'en avais le vertige. Maman, sourire à Père ? Pourquoi ? Qu'y avait-il entre eux ? Et nous, où étions-nous ? Nous n'étions pas entre eux ?

Qu'était-il arrivé à la maison ? Subitement elle s'était mise à chuchoter, regarde ça, c'était bien là, mais est-ce que tu l'avais vu ?

Le goût de la nourriture avait changé. L'odeur de la maison avait changé.

Ce lieu, symbole de notre étouffement, nous appelait à mi-voix. Et cet appel nous tourmentait. Dans cette maison, notre passé était partout, il nous observait, tantôt d'un regard vide, creux, tantôt d'un regard tendre et plein d'affection. La déréliction de ce regard nous torturait.

La maison était accablée, chargée d'une souffrance amère et pesante. Mais c'est là qu'existaient nos rires, fusant comme des touffes de fleurs. C'est là que s'était écoulée notre enfance, là qu'elle avait connu l'oppression de l'étouffement sourd, mais là aussi qu'elle avait connu l'enjouement primesautier. Qui aurait pu nous brimer au point de nous ôter l'existence ? Nous nous étions certes muselés en surface, mais l'impétuosité intérieure n'était pas morte pour autant. Il n'y avait rien d'étouffé dans nos chants de joie qui explosaient à travers l'oppression.

Diwali arriva, impitoyablement, cette année-là aussi. Comme au temps où Maman préparait du khôl de camphre, recueillant la suie dans une petite cloche de terre. Tante fit la *pouja* à Lakshmi, la déesse de la prospérité, et n'alluma qu'une lampe à huile, qu'on plaça à la porte de la maison pour que les occupants successifs puissent continuer à entrer sans encombre comme ils l'avaient fait depuis des siècles.

Et nous les vîmes entrer, depuis la terrasse, où nous étions montés nous asseoir à la nuit tombante et d'où nous entendîmes, solitaire, leur mystérieux conciliabule.

Tante et Oncle firent une dernière tentative – nous nous occuperons de Sounaina, il faut prendre une décision, une fois pour toutes.

Soubodh restait calme.

Mais plus personne ne pouvait s'arroger le droit de venir nous harceler.

Les jours passaient, beaucoup de jours sans doute. Mais pas tant de jours que cela, car l'oncle notaire venait régulièrement et les pourparlers quant à la vente de la maison suivaient leur cours.

Tout suivait son cours, impitoyablement.

C'était une explosion de fleurs. On devait être en février. Il y avait du vent, et les feuilles tombaient à terre comme des oiseaux. Quand on s'installait dehors, au soleil, on ne tardait pas à avoir trop chaud, et quand on restait à l'intérieur, on ne tardait pas à avoir envie de mettre des chaussettes.

Hardeyi faisait la cuisine. Il y avait de tout au jardin, épinards, soja, navets, haricots, fenugrec, carottes, petits pois, choux. Les jeunes fruits pendaient aux branches du jaquier. Les arbustes ornementaux étaient en fleurs. Maman cueillait les fleurs et les mettait en bouquet dans le vase du salon. Elle ramassait les fleurs de jasmin, mogra et champa, qu'elle empilait sur un plateau. Les goyaviers croulaient sous les fruits. Le marchand ambulant arrivait dans la soirée pour nous porter des pois frais.

La nuit tombait tôt. Soubodh et moi, nous allions aussi nous coucher tôt. Nous appréciions la tiédeur de la couette, sous laquelle nous écoutions les bruits de la ville. C'était la saison des mariages. On entendait la musique jusque tard dans la nuit, des orchestres qui jouaient généralement faux. Au matin, c'était le sifflet du train, puis le roulement inquiet des roues quand il passait sur le pont, *tchou tchou tchou*.

À la tombée du soir je me sentais mal à l'aise. L'oncle notaire avait des lunettes aux verres très épais, et quand on le regardait sous un certain angle, ses pupilles, parfaitement nettes, apparaissaient comme une extension du verre, comme s'il nous regardait avec deux yeux en pierre, de part et d'autre de son nez.

Le vent était chargé de barbes d'épis, acérées, piquantes, il nous laissait une sensation cuisante de froid mordant. Nous nous calfeutrions à l'intérieur, fermant les fenêtres et tirant les rideaux. De là nous regardions s'en aller l'oncle – lui devant, le gardien derrière, qui l'éclairait de sa torche puissante, au niveau des jambes. Dans cet éclairage, ses pantalons devenaient transparents et la silhouette de ses jambes s'embrasait comme les barres d'un radiateur électrique – barres rouges et poilues.

Nous étions déprimés. Il nous semblait qu'on ne pourrait arriver à rien. Nous avions l'impression de n'être ni ici ni ailleurs, nulle part. Que toute notre révolte s'était réduite à un filet d'eau. Que la mort ne pouvait pas se connaître elle-même, la vie seule connaissait la mort. Maman, qu'en savais-tu, toi, nous seuls savions. Et il nous semblait aussi vain de nous débattre dans tous les sens et de faire des pieds et des mains au lieu d'accepter tranquillement les choses comme elles se présentaient.

Soubodh, allongé à côté de moi, disait quelque chose, et il me semblait que sa voix venait de loin, comme d'une caverne. Comme s'il me parlait avec la bouche sur une cruche de terre.

Pendant cette période, il cassa malencontreusement une cruche. Hardeyi apportait de l'eau, Soubodh bondit dans l'intention de lui prendre le récipient des mains et il l'avait à peine saisie que, dans un grand bruit, la cruche éclata.

Soubodh et Hardeyi passèrent un bon moment à ramasser les morceaux et à nettoyer le sol, tandis que Soubodh répétait sans arrêt : « *I am sorry*, comme je suis maladroit, désolé, *I am sorry*, je ne sais pas comment elle m'a échappé des mains. »

Hardeyi restait perplexe devant ces démonstrations de politesse un peu excessives.

Moi, j'étais embarrassée. « *It's alright*, pas de problème », répétais-je. Et Soubodh, l'air impuissant, continuait : « Ce que je suis maladroit, *I am sorry*. »

Un jour un télégramme était arrivé – *Sorry about Rajjo, may God rest her soul in peace.*

Un autre télégramme était arrivé, du Cachemire, pour moi, de Soubhane Miyan, qui n'était pas particulièrement proche de moi et qui avait appris la nouvelle Dieu sait comment.

C'était le propriétaire d'un house-boat sur le lac Dal à Srinagar où j'avais passé quelques jours avec Ehassan. Le télégramme était tout imprégné du parfum de son house-boat. Une nuit, il y avait eu un ouragan sur le lac Dal et le bateau semblait prêt à se disloquer. J'avais dit à Ehassan : « Notre dernière nuit est arrivée. » Mais nous survécûmes et Soubhane Miyan arriva au matin avec le thé. Il avait donné un nom anglais à son house-boat et disposé artistiquement sur la table du salon diverses revues datant d'années variées dans toutes sortes de langues, allemand, français, russe, anglais.

La maison de Maman était à présent sous le contrôle de Tante, tandis que nous errions dans la vaste demeure, telles deux ombres occupées à mettre dans des boîtes les objets pétris du souvenir de notre enfance pour les emporter. Et nous nous pétrifiions en chemin quand nous tombions quelque part sur la trace de ces cendres froides, qui pleuvaient des yeux de Maman. Sur quantité d'objets, dans toutes les pièces. Comme si elle nous disait : « Regardez, retournez-vous, regardez. » Nous nous retournions, les yeux hagards, vides, et croyions la voir arriver vers nous, vêtue d'habits inconnus, qui nous souriait parfois, et parfois nous parlait, parfois dissimulait les traces de bleus sous un pull à manches longues ; parfois elle était avec Père, mais pas comme nous les avions vus dans leur vie, parfois elle était Rajjo et elle pleurait, mais pas pour nous, pas pour quelque chose que nous connaissions, pour quoi, pour qui, c'était son secret.

Depuis des années nous étions à la recherche de Maman, voulions la saisir, et à présent qu'il était irrévocablement trop tard, nous avions l'impression d'avoir voulu, pour accéder à Maman, forcer un cadenas avec une clef qui n'était pas la sienne. Et nous étions là, les mains vides.

Je montai sur la terrasse et regardai vers le portail comme nous l'avions toujours fait depuis notre enfance. Un drôle de sentiment m'assaillit alors : que de fois Maman s'était postée là pour regarder entrer et sortir les visiteurs, debout, seule, plongée dans ses pensées intérieures, lesquelles ?

Mais c'est faux. Totalement faux. Maman n'allait jamais sur la terrasse. Même à l'occasion de Diwali, nous étions seuls avec Hardeyi et Bhondou à venir y allumer les lampes à huile. Alors pourquoi cette vision ?

J'eus alors une autre espèce d'hallucination : Maman était là, debout à l'endroit précis où j'étais, moi. Je ne la voyais pas mais peu importe. C'était d'avant moi parce que Maman existait avant moi, et avant cet avant, et nous n'avions, Soubodh et moi, jamais pensé à ça.

Une souffrance torturante.

Maman en moi se torturait.

35

J'avais l'impression que Maman interférait dans mon être et cette sensation ne me laissait pas en repos.

À la vue des cendres déposées un peu partout, tant d'histoires s'exhumaient, montaient, et s'envolaient en fumée, inachevées ! Au fond, qui était-elle, Maman ? Que nous nous obstinions à sauver ? Que nous voulions tant tirer de là ?

Qu'avions-nous tiré, quelle chose en elle avions-nous expulsée d'elle ? Pour la combler avec des choses à nous ?

J'eus l'impression que nous étions sur le point de comprendre mais qu'on nous avait trompés, trahis, une trahison énorme. Et maintenant comment faire pour repartir à zéro, recommencer à vivre avec Maman de façon à ce qu'elle ne nous apparaisse pas comme notre création mais comme elle-même ? Une Maman qui soit distinctement elle, et pas la créature forgée par Père et Grand-père, ni non plus par nous. Animée par son propre souffle vital.

Nous étions partis pour saisir Maman. Notre enfance se passa, ou peut-être ne passa-t-elle pas, bien qu'à un moment donné fût apparu le temps d'après, mais Maman passa toujours à travers les mailles du filet, ce filet qu'était devenu notre esprit avec elle. Nous avancions la main pour la saisir, mais devant notre main il n'y avait toujours que nous, une extension de nous, et nous devions nous contenter d'attraper un bout de nous-mêmes.

Nous avions vu son voile, son *pardah*. Nous avions vu ce *pardah* inerte, simple jouet aux mains des autres, que l'un pouvait pousser à son gré à droite, l'autre à gauche. Nous pensions que c'était cela, Maman. La grandeur qui se cachait derrière le voile ne nous touchait pas, nous ne pouvions pas entendre le chagrin douloureux qui l'habitait. Nous avions fait de la vie sous le voile une chose incolore.

La maison était pour nous un étouffoir. Nous voulions en sortir, nous voulions en sortir Maman. Soubodh était parti. Maman était partie. Et moi je restais coincée, quelque part entre deux univers.

Me disposant à emporter à l'étranger les objets que j'avais toujours vus depuis mon enfance, je me découvrais indécise, la main tremblante. Maman m'avait donné un porte-clefs en argent ciselé, en me disant de m'en faire faire des pendants d'oreille puisque j'aimais son style à l'ancienne. Avant, Grand-mère le portait à la ceinture, c'est là qu'elle accrochait toutes ses clefs et elle ne s'en séparait jamais. Je vis flotter devant moi le visage de Maman. Je fermai les yeux mais le visage avait disparu. Mes mains se figèrent.

« Je ne veux rien emporter de tout ça. »

Soubodh aussi s'était figé.

« Je ne veux pas partir. »

Il pâlit. Tournant la tête, il jeta un regard dans l'entrée, derrière nous, comme s'il avait entendu entrer quelqu'un qui venait à notre rencontre.

« Tu as perdu la tête ou quoi ? »

Mais nous pouvions désormais prendre nos propres décisions, séparément. Et nous le faisions.

Il retenait ses larmes. « Maman est partie, Sounaina. Père, Grand-père, ils sont tous partis. La maison aussi est partie. »

Et il me secoua : « Maman n'est plus là, Sounaina, Maman n'est plus là. »

Et tous les deux, nous fondîmes en larmes.

Je n'opposai aucune objection. Maman était partie. La maison était partie. Mais les cendres étaient partout, froides et pourtant toutes pleines d'une âme qui avait vécu et s'était ouverte comme une fleur. Mon existence avait été vouée à pleurer dans ces cendres sèches qui pleuvaient des yeux d'une personne. C'était ici et pas ailleurs que se trouvaient les cendres, même si la prison était ici et pas ailleurs.

Soubodh était à bout : « Souni, quitte tout ça, sinon tu ne pourras arriver à rien. Tu ne peux rien faire dans cette prison. »

Mais c'était facile pour lui. Pour se détacher de la prison il n'avait pas besoin de se mutiler et de se torturer au point de devenir méconnaissable à ses propres yeux.

« Tu n'es pas obligée de tomber dans les mêmes pièges que Maman et de te laisser enchaîner comme elle. Tu es jeune et je suis avec toi. »

La colère le prenait : « Ne fais pas de sentimentalisme. C'est pour une bonne raison que tu as pris tes distances. »

Je n'arrivais pas à comprendre tout ce que je ressentais. Je voulais vivre, Soubodh, vivre encore plus. C'est dans cet étouffoir que je me suis éveillée à la vie, que j'ai souffert, que j'ai crié, c'est ici qu'a palpité le moindre atome de moi. Tout mon être se dressait pour lutter.

Il y avait là un tout petit coin dans lequel j'étais libre, et dans tout le reste du vaste monde j'étais morte. Je ne veux pas mourir.

« Ici tu mourras. Tu ne peux pas vivre dans cette société. Souni, Souni ! » hurla-t-il à ébranler les murs de la maison. « Ici tu ne peux que t'effacer. »

« Alors je m'effacerai », m'obstinai-je. Sans même en avoir l'intention délibérée.

Il se mit à gronder, comme un animal sauvage : « C'est ça, toi aussi, efface-toi, comme Maman, interdis-toi d'exister pour toi-même. »

Faux, faux, je ne pouvais pas lui expliquer que Maman n'avait pas été effacée, c'est nous qui en avions fait une effacée. Il ne faut pas que je devienne Maman, ce n'est d'ailleurs pas possible, elle m'a elle-même poussée à ne pas l'être ; même si je voulais je ne pourrais pas être elle, je n'ai pas de dispositions pour ça, je n'ai pas le goût du sacrifice, parce que c'est l'histoire même de Maman, accablante, je ne veux pas passer ma vie à donner et donner comme elle, à prétendre que je reçois en donnant, je ne dois pas trouver mon but dans le martyre comme elle, ni me culpabiliser devant la courtoisie et la générosité d'autrui ; il faut que je lutte contre son histoire, il faut que je la rejette, elle, et pour cela il me faut être dans le prendre, m'accomplir en prenant, je donnerai après, je donnerai en même temps que je prendrai, mais je me battrai jusqu'à y parvenir, je me battrai contre elle, Maman, elle, qui est immortelle, qui est en moi, qui y restera toujours, en feu comme en cendres, elle devant qui je m'incline, je me battrai contre elle.

Soubodh était à bout d'arguments. « Bon, très bien, toi aussi, reste à te consumer. »

Maman s'était consumée toute sa vie, rentrant en elle-même le feu qui l'habitait. Mais tu ne peux pas comprendre qu'elle aussi avait le feu en elle, qu'elle n'était pas une coquille vide, qu'elle était le feu ? Dont nous avons vu l'ardeur la tourmenter pour les autres mais dont nous n'avons pas vu qu'elle la tourmentait aussi pour elle-même ?

D'accord, c'est ça, je brûlerai et souffrirai moi aussi, je sortirai de moi ce feu de Maman, je l'expulserai.

Et je le ferai ici. Pas ailleurs.

Parce que la liberté n'est pas un souffle qui vibre dans un petit coin confiné et la prison ne se réduit pas à une série de barreaux bien visibles.

Je n'arrivai pas à expliquer à Soubodh que j'étais roulée dans des remous fuligineux, dedans comme dehors. Mais c'était la vérité, ces rouleaux de fumée qui noyaient tout en moi et hors de moi, où coexistaient inextricablement l'ardeur et l'étouffement d'innombrables liens, dont la douceur m'obligeait à prendre une grande inspiration, dont la suffocation me vidait les poumons. L'âme palpitante et anxieuse. Cette fumée, c'était celle du feu, du feu de Maman, du feu d'avant elle, du feu d'aujourd'hui, et... Une fumée, d'où partaient toujours des étincelles, d'où tombait toujours une pluie de cendre, avec une tête et un tronc dans ce tourbillon fuligineux, que j'avais par erreur jetés au rebut et qu'il me fallait retrouver, à tout prix, au prix de ma vie ou de ma mort, pour les réunir et parvenir à remettre la tête sur le tronc.

Maman m'avait tendu une échelle pour me sortir du trou dans mon enfance, une échelle sur laquelle j'allais grimper et passer de l'autre côté. J'y grimperais sans relâche jusqu'à ce que...

Nous étions partis, pacifiés. Nous avions définitivement quitté la maison. Je n'avais dans la main qu'une seule chose de la maison – un petit bout de papier venant d'un cadre de photo, qui tombait en poussière, et se changeait en cendre argentée, cendre froide, qui était en moi, cendre qui s'embrasait doucement de l'ardeur de la vie invisible que Maman n'avait pas vécue.

GLOSSAIRE

anna
seizième de la roupie (pièce aujourd'hui obsolète)

arti
rituel du matin et du soir, où l'officiant fait tournoyer la lumière des lampes autour de la divinité pendant que sonnent les clochettes et roulent les tambours du temple

atchar
condiments de légumes ou fruits pimentés marinés, souvent au soleil, dans l'huile ou le jus de citron

Baba
terme de respect employé en particulier pour les *sadhou*

barfi
confiserie à base de lait épaissi et de sucre qui se présente sous forme rectangulaire, parfois couverte d'un film argenté

bari
petits cônes de pâte de lentilles pimentées séchés au soleil pour être utilisés comme ingrédient dans la cuisine

bati
gâteau de pain au beurre fourré de divers légumes et cuit dans la cendre ou sur le charbon

bel
gros fruit rond à chair orangée et écorce dure (*woodapple*)

bhangui
vidangeur

dal
lentilles cuisinées, qui peuvent être de diverses couleurs et grosseurs, petites, ovales et jaunes (*moung*) ou rondes et orange (*massour*)

Dassehra
grande fête religieuse en septembre-octobre, célébrant l'extermination du démon Ravana

dhoti
vêtement fait d'une seule pièce de tissu de trois à quatre mètres de long, qu'on drape autour de la taille en en passant un pan entre les jambes et qui descend, selon la manière de le draper, jusqu'aux chevilles ou jusqu'au-dessus des genoux. Les femmes pauvres le portent comme un sari

Diwali
fête des lumières célébrant le retour du dieu Rama à Ayodhya après sa victoire contre les démons

djalebi
confiserie faite de fines bandes de pâte disposées en spirale et frites dans l'huile

doupatta
écharpe en tissu léger que les femmes drapent sur la *kourta*, à l'origine pour cacher leurs formes

Ghalib
le plus grand poète ourdou du XIXᵉ siècle, auteur de ghazals imagés et empreints de tragique

goudjia
pâtisserie faite au lait épaissi

goulgoula
petit beignet à base de farine frite et de pâte de lentilles

Holi
fête célébrant le début du printemps, marquée par une liesse publique débridée et notamment l'aspersion réciproque de poudres et eau colorées dans la rue

jamoun
prune noire

ji
particule respectueuse, suffixée le plus souvent aux noms propres

katchauri
snack salé en forme de galette frite de manière à être soufflée, fourré de lentilles, de pommes de terre ou autres légumes

khichri
plat basique consistant en un mélange de riz et de dal

khir
préparation sucrée à base de lait et de riz, agrémentée de cardamome, d'amandes ou de pistaches

kourta
longue tunique portée sur le pantalon (*salvar*)

laddou
confiserie faite de boules de farine de lentilles ou de lait épaissi et de sucre, parfumée au safran

lingam
symbole du dieu Shiva, représentant son phallus

litti
boulettes de farine de pois chiches enrobées d'une couche de farine de blé complet cuites sur un feu de bouses séchées

lota
petit pot en métal, aujourd'hui parfois en plastique, réservé au transport de l'eau pour les ablutions intimes

malpoua
petite crêpe frite dans du beurre clarifié et imbibée de sirop de sucre

namkine
petit grignotage salé

pajama
pantalon large porté plutôt par les hommes sous une tunique (*kourta*)

pakaura
petit beignet de légumes

pakka
aliment soit ne nécessitant aucune préparation culinaire, soit devant être préparé en sorte d'empêcher toute souillure de la personne

pân
feuille de bétel fourrée de tabac haché avec de la chaux qu'on chique

papad
galette très fine de pâte de lentilles épicée séchée au soleil, utilisée ensuite soit frite soit rôtie

paratha
galette de farine complète préparée comme une pâte feuilletée et ensuite poêlée

pouja
rituel religieux comportant prières et offrandes à la divinité

pouri
sorte de galette ronde de farine de blé, frite de manière à être soufflée, qu'on mange en accompagnement des plats et qui peut aussi être fourrée

Pourohit
brahmane chargé du culte

prasad
nourriture offerte aux dieux, le plus souvent sucrée, et, une fois ainsi bénie, distribuée aux fidèles

rabri
lait sucré et épaissi

raïta
préparation de yoghourt agrémenté de concombre ou autres légumes

rickshawala
conducteur de rickshaw

roti
terme générique désignant les diverses galettes de farine qui accompagnent les plats

sahab
appellatif très courant correspondant à « monsieur »

salvar
pantalon large porté plutôt par les femmes sous une tunique (*kourta*)

samosa
petits pâtés de légumes épicés frits dans de la pâte brisée

shisham
arbre des forêts indiennes et népalaises (*dalbergia sissoo*) de la famille des acacias

Sour (Das)
grand poète mystique hindi qui célébra Krishna au XVIe siècle

tchapati
galette plate de farine complète cuite sans matière grasse qui tient lieu de pain

tcharpaï
lit formé d'un cadre de bois sanglé de corde

tchat
terme générique désignant de petits snacks très épicés

tika, tilak
petite pastille dessinée au front, utilisée à titre cosmétique ou sectaire

Toulsidas
auteur du *Ramcharitmanas*, version hindie du *Ramayana*, au XVIᵉ siècle

Videh
nom d'un pays et de ses habitants (qui signifie littéralement « sans corps ») dont le roi Janaka fut un modèle d'ascétisme

DE LA MÊME AUTRICE

des femmes-Antoinette Fouque
Ret samadhi, Au-delà de la frontière,
trad. Annie Montaut, 2020, poche, 2023

Infolio
Maï, une femme effacée,
trad. Annie Montaut, 2008
Une place vide,
trad. Nicola Pozza, 2018

Achevé d'imprimer en avril 2024 par Corlet Imprimeur - 14110 Condé-en-Normandie
Dépôt légal : avril 2024 - N° d'imprimeur : 24040149 - Imprimé en France